D1066923

LA CIVILISATION DU POISSON ROUGE

Bruno Patino est directeur éditorial d'Arte France et dirige l'école de journalisme de Sciences-Po. Il a notamment travaillé pour *Le Monde*, France Culture et France Télévisions. Spécialiste des médias et des questions numériques, il est l'auteur de *Télé*visions, et, avec Jean-François Fogel, d'*Une presse sans Gutenberg* et de *La Condition numérique*.

BRUNO PATINO

La Civilisation du poisson rouge

Petit traité sur le marché de l'attention

GRASSET

ISBN : 978-2-253-10125-3 – 1re publication LGF

Pour Marie et pour Sarah

C'est comme s'il y avait un maître.
TCHOUANG TSEU

Last thing I remember, I was running for the door
I had to find the passage back to the place I was before
Relax, said the night man, we are programmed to receive
You can check out any time you like but you can never
[leave.
THE EAGLES, *Hotel California*

It's the economy, stupid !
Bill CLINTON

Si tu vois tout en gris, déplace l'éléphant.
Proverbe indien

CHAPITRE 1

9 secondes

Il s'agit de réveiller l'auditoire.

Sur l'estrade, l'homme est confiant, fier de sa trouvaille. Derrière lui, un écran. Sur cet écran, immense, un magnifique poisson rouge, l'œil rivé à son bocal. Pour tout texte, un point d'interrogation. L'image, comme toujours depuis qu'Instagram a modifié notre regard, est saturée par les filtres, et l'œil rond du poisson procure sur l'assistance un effet hypnotique.

L'homme qui fait la présentation a tout du hipster cool mais chic : chemise blanche slim sortie sur la taille, pantalon serré à la coupe parfaite, chaussures de sport pastel, barbe de trois jours, cheveux savamment désordonnés, lunettes de prix, anglais à l'accent international, élocution rapide, micro-casque léger, la trentaine sportive. Il porte tous les signes extérieurs de la réussite mondiale, de la pression supportée, et du confort matériel associé à la vive intelligence. Il est sûr de lui. C'est normal, c'est un Googler, un employé de Google. Avec beaucoup d'autres, il est venu de Mountain View, le siège de l'entreprise la plus puissante du monde, pour porter la bonne parole du géant numérique devant un groupe d'Européens travaillant dans différents médias. C'est la méthode Google, organiser, plusieurs fois par an sur tous les continents, des « rencontres » avec des professionnels. Ces moments permettent à la firme de faire connaître ses outils, ses techniques, ses recherches. Ils se ressemblent tous, qu'ils aient lieu à Paris, Londres, Berlin, Madrid, Rome ou Stockholm. On y promeut l'esprit de « partenariat » entre le géant californien et ceux dont il régente désormais la vie numérique. Il y a tant de choses à faire, tant d'intelligence à partager, à l'américaine, entre professionnels de bonne volonté soucieux de construire un monde où l'information est partagée de plus en plus vite et de plus en plus précisément « pour le bénéfice du plus grand nombre ». Tel est, néanmoins, l'esprit revendiqué, que renforcent de petits cadeaux et la mise à disposition d'une quantité illimitée de nourriture à chaque pause. Bien sûr, l'effet produit est inverse : à chaque réunion, l'écart entre Google et ses interlocuteurs, inexorablement, se creuse. Si, il y a quelques années, la différence de puissance semblait vertigineuse, elle n'est aujourd'hui simplement plus mesurable. Google n'est plus de notre monde. Ou, plus exactement, il a construit un monde qui, chaque jour, est un peu moins le nôtre.

La salle attend la révélation de l'homme de la firme. Manifestement, cela a demandé de l'imagination, du temps, et, bien sûr, la formidable puissance de calcul informatique requise par l'intelligence artificielle. Derrière ce mot magique, il n'y a que des données et des formules mathématiques qui permettent, petit à petit, à une machine d'apprendre à reconnaître, à analyser, à trouver des explications. Mais, pour que cela fonctionne, il faut des milliards et des milliards de données, intelligemment agencées par des milliers d'ingénieurs.

L'homme parle du poisson rouge sur l'écran géant. De cet animal stupide, qui tourne sans fin dans son bocal. Les humains l'ont mis là, et se rassurent comme ils peuvent : la mémoire de l'animal est si peu développée, son attention si réduite, qu'il découvre un monde nouveau à chaque tour de bocal. La mémoire de poisson rouge, loin d'être une malédiction, est, pour lui, une grâce, qui transforme la répétition en nouveauté et la petitesse d'une prison en l'infini d'un monde. Cette fameuse « mémoire du poisson rouge » est-elle une légende ? Beaucoup d'entre nous ne se sont jamais posé la question, simplement heureux d'avoir une expression à utiliser lorsque nous voulons nous excuser d'un moment d'inattention.

Mais Google ne connaît pas de limite à l'extension du domaine de son calcul numérique. Et, l'homme, donc, annonce que son entreprise a réussi à calculer le temps d'attention réel du poisson. Le fameux *attention span.* Et celui-ci est effectivement dérisoire. L'animal est incapable de fixer son attention au-delà d'un délai de 8 secondes. Après ces 8 petites secondes, il passe à autre chose et remet à zéro son univers mental.

Reste que l'homme n'en a pas fini de ses annonces. Les ordinateurs de Google ont également réussi à estimer le temps d'attention de la génération des Millennials. Ceux qui sont nés avec la connexion permanente et ont grandi avec un écran tactile au bout des doigts. Ceux qui, comme nous, ne peuvent s'empêcher de sentir une vibration au fond de leur poche ; ceux qui, dans les transports en commun, avancent l'œil rivé sur le smartphone, concentrés dans l'espace-temps de leur écran. Le temps d'attention, la capacité de concentration de cette génération, annonce l'homme, est de 9 secondes. Au-delà, son cerveau, notre cerveau, décroche. Il lui faut un nouveau stimulus, un nouveau signal, une nouvelle alerte, une autre recommandation. Dès la dixième seconde. Soit à peine une seconde de plus que le poisson rouge.

Pour Google, ces 9 secondes représentent un défi à la mesure de l'entreprise californienne : comment faire pour continuer à capter les regards d'une génération « distraite de la distraction par la distraction », pour reprendre les mots de T.S. Eliot. Quels outils, quelles formules mathématiques, quelles propositions construire pour nourrir, en permanence, l'esprit d'utilisateurs qui passent à autre chose avant même d'avoir commencé à faire quelque chose. Google ne s'affole pas : la firme californienne sait parfaitement répondre à cette évolution, dont elle est en partie responsable. Grâce à nos données personnelles, elle saura nous fournir notre dose avant que le manque ne se fasse sentir.

Nos rêves numériques se brisent sur cette durée dérisoire. L'infini nous était promis. Il était entendu que le cyberespace ne connaîtrait de limite que celle du génie humain. Au lieu de quoi, nous sommes devenus des poissons rouges, enfermés dans le bocal de nos écrans, soumis au manège de nos alertes et de nos messages instantanés. Notre esprit tourne sur lui-même, de tweets en vidéos YouTube, de *snaps* en mails, de *lives* en *pushs*, d'applications en *newsfeeds*, de messages outranciers poussés par un robot aux images filtrées par les algorithmes, d'informations manifestement fausses en buzz affligeants. Tel le poisson, nous pensons découvrir un univers à chaque moment, sans nous rendre compte de l'infernale répétition dans laquelle nous enferment les interfaces numériques auxquelles nous avons confié notre ressource la plus précieuse : notre temps.

Ces 9 secondes sont le sujet de ce livre.

Une étude du *Journal of Social and Clinical Psychology* évalue à 30 minutes le temps maximum d'exposition aux réseaux sociaux et aux écrans d'Internet au-delà duquel apparaît une menace pour la santé mentale. D'après cette étude, mon cas est désespéré, tant ma pratique quotidienne est celle d'une dépendance aux signaux qui encombrent l'écran de mon téléphone. Mais je ne suis pas le seul. Nous vivons dans le monde des drogués de la connexion stroboscopique.

Pour ceux qui ont cru à l'utopie numérique, dont je fais partie, le temps des regrets est arrivé. Ainsi de Tim Berners-Lee, « l'inventeur » du Web, qui essaie désormais de créer un contre-Internet pour annihiler sa création première. L'utopie, pourtant, était belle : elle rassemblait les adeptes de Teilhard de Chardin comme les libertaires californiens sous acide.

Cette évolution n'était pas écrite. Les nouveaux empires ont construit un modèle de servitude numérique volontaire, sans y prendre garde, sans l'avoir prévu, mais avec une détermination implacable. Au cœur du réacteur, nul déterminisme technologique, mais un projet économique, qui traduit la mutation d'un nouveau capitalisme. Au cœur du réacteur, l'économie de l'attention.

Le nouveau capitalisme numérique est un produit et un producteur de l'accélération générale. Il tente d'augmenter la productivité du temps pour en extraire encore plus de valeur. Après avoir réduit l'espace, il s'agit d'étendre le temps tout en le comprimant, et de créer un instantané infini. L'accélération a remplacé l'habitude par l'attention, et la satisfaction par l'addiction. Et les algorithmes sont les machines-outils de cette économie.

L'économie de l'attention détruit, peu à peu, tous nos repères. Notre rapport aux médias, à l'espace public, au savoir, à la vérité, à l'information, rien ne lui échappe.

Le dérèglement de l'information, les « fausses nouvelles », l'hystérisation de la conversation publique et la suspicion généralisée ne sont pas le produit d'un déterminisme technologique. Pas plus qu'ils ne résultent d'une perte de repères culturels des communautés humaines. L'effondrement de l'information est la conséquence première du régime économique choisi par les géants de l'Internet.

Le marché de l'attention forge la société de toutes les fatigues, informationnelles, démocratiques. Il fait s'éteindre les lumières philosophiques au profit des signaux numériques.

Mais c'est un ordre économique, et comme tout ordre, il peut être combattu et amendé. Il n'est consubstantiel ni à la société numérique, ni au développement de l'économie des données. Le temps du combat est arrivé, non pas pour rejeter la civilisation numérique, mais pour la transformer dans sa nature et retrouver l'idéal humaniste qui motivait les premiers utopistes de l'éclosion du numérique.

CHAPITRE 2

Addictions

Les nuits nous ont quittés.

L'écran du téléphone portable éclaire désormais la pénombre. Sa luminosité a été réduite au niveau le plus faible, mais sa veille, pourtant, est active. Elle trouble le sommeil de son propriétaire, qui ignore tout du travail des cellules ganglionnaires à mélanopsine de sa rétine. Connaît-il d'ailleurs leur existence ? Ce sont elles qui envoient aux noyaux suprachiasmatiques de l'hypothalamus de son cerveau l'ordre de se réveiller, car elles confondent la lumière bleue des LED avec celle, blanche, du jour. L'horloge interne du dormeur est déréglée, son sommeil intranquille. Des envies irrépressibles envahissent sa quiétude, les mêmes qui, en permanence, hachent ses journées, sa vie, son travail, ses vacances, ses amitiés, ses amours, ses pensées et ses prières.

La première de ces envies, la plus importante, la plus constante, consiste à se ruer sur ce même téléphone qui n'est jamais totalement éteint. De le faire de façon franche ou subreptice, selon le degré de culpabilité vis-à-vis des personnes alentour. De déclencher, d'un index fébrile, le parcours initiatique du connecté maladivement inquiet :

commencer par les messages, sms ou imessages, vite. Puis basculer sur Twitter, d'abord la *timeline*, ensuite les mentions. WhatsApp, Telegram, Messenger dans la foulée, le souffle comme retenu par l'idée d'avoir manqué ce qu'il aurait immédiatement fallu savoir, enfin, plus lentement, Instagram et Facebook, et terminer par les alertes d'information et les e-mails. Ce tour fait, se sentir comme le boulimique qui a englouti d'un trait une part de pizza : nullement rassasié, vaguement coupable, craignant la nausée. Et puis, recommencer. Encore et encore. Toutes les 2 minutes, 30 fois par heure éveillée, une fois toutes les 3 heures de sommeil, 542 fois par jour, 198 000 fois par an.

Ce dormeur, ce n'est pas moi. Enfin, pas encore. Car je pourrais bien, d'ici quelque temps, lui ressembler, tant il m'est chaque jour plus difficile de lutter contre l'attirance magnétique de l'écran du smartphone. Je peux essayer de le mettre dans ma poche, de le retourner sur la table, de le poser loin de mon regard, de le glisser dans un sac à dos, voire de l'éteindre, rien n'y fait, je finis toujours par le reprendre.

Et n'est-ce pas, finalement, notre cas à tous ? Sommes-nous réellement surpris que des chercheurs de l'Université de Pennsylvanie aient pu émettre un diagnostic en forme de recommandation : au-delà de 30 minutes sur les réseaux sociaux, notre santé mentale est menacée. Les 143 étudiants de 18 à 22 ans qui leur ont servi de cobayes en acceptant de soumettre à l'étude leurs habitudes numériques, pendant deux semestres, avant de livrer leur psychisme à des tests, n'ont fait que confirmer ce que nous pressentons tous. En ce qui me concerne, il y a bien longtemps que les 30 minutes ont été dépassées.

Et je ne suis pas seul. Le temps moyen quotidien passé sur smartphone a doublé dans la plupart des pays du monde entre 2012 et 2016 pour atteindre des niveaux déjà inquiétants : 4 heures 48 minutes au Brésil, 3 heures en Chine, 2 heures 37 aux États-Unis et 1 heure 32 minutes en France. La plupart des experts s'attendent à un nouveau doublement du temps consacré d'ici 2020. Selon l'Ifop, 59 % des Français s'inquiètent de l'impact des écrans sur leurs enfants, et près de 70 % d'entre eux reconnaissent être dépendants de ces mêmes écrans. La connexion aux écrans va quant à elle bien au-delà du téléphone. Les statistiques en provenance des États-Unis dépassent l'imaginable : selon la fondation Kaiser Family, les jeunes Américains consacrent 5 heures et demie par jour aux technologies du divertissement, jeux vidéo, vidéos en ligne et réseaux sociaux et un total de 8 heures quotidiennes à l'ensemble des écrans connectés. Un tiers de vie, alors qu'ils sont désormais 22 % à n'avoir aucune activité ni scolaire ni professionnelle entre 22 et 30 ans, un chiffre qui a doublé en quinze ans.

Le temps du réseau absorbe les existences. Un article du *Huffington Post* américain raconta, fin 2013, l'histoire de Casey, une jeune fille de 14 ans habitant dans le New Jersey. « Ce qui se passe vraiment dans l'iPhone d'une teenager » est le récit d'une esclave consciente de son emprisonnement : « Je me réveille le matin, et, tout de suite, je vais sur Facebook, juste parce que… enfin, ce n'est pas que je veuille le faire, je dois juste le faire, c'est comme si on me forçait à le faire. Je ne sais pas pourquoi, j'en ai besoin. Facebook m'a pris ma vie. » Et Casey de consacrer son existence à nourrir la bête formée par ses 580 « amis » sur Instagram et ses 1 110 « amis » sur Facebook, afin d'attirer le plus de « likes » possible sur chacune de ses contributions, anxieuse à l'idée d'en obtenir moins de 100, dévastée au constat d'en avoir engendré moins que d'autres de ses amies.

Les consultations médicales regorgent de ces histoires d'adolescents amputés de leur enfance par les écrans. Vivant leurs histoires d'amour en simple voisin de l'être aimé, lui aussi connecté et absorbé par la « conversation » sociale, incapables d'être ensemble sans laisser un témoignage du moment via une photo, ou une « story », ratant l'école, et sombrant dans la dépression parfois jusqu'au suicide. Ces récits apocalyptiques, cas exceptionnels, limités en nombre, ne disent pas le monde. Mais ils éclairent notre avenir d'une noirceur nouvelle.

Un tweet de @cap0w, partagé des milliers de fois depuis sa première publication en 2014, ressemble à notre époque : on y voyait, sur un quai de gare, une vingtaine de personnes, femmes, hommes, jeunes et vieux, vêtus pour le travail ou le loisir, la tête baissée vers leur smartphone, comme pétrifiés dans une position de soumission universelle. À l'arrière du quai, la tête relevée, un homme, le regard dirigé droit devant lui. Sa différence nourrit l'inquiétude des commentateurs du réseau, qui, mi-sarcastiques, mi-désespérés, à l'instar de l'auteur, se demandent : « Qu'est-ce qu'il a, ce gars ? Que peut-il bien regarder ? Le monde ? »

Nos pathologies sont connues, elles sont entrées dans le répertoire des troubles de la personnalité et du comportement. Les expressions nouvelles portent le regret de notre liberté perdue. Ceux d'entre nous qui évitent le sommeil profond par peur de rater le signal de leur portable sont qualifiés de « dormeurs sentinelles ». Être pris d'une peur panique face à l'éloignement même éphémère de son portable porte le nom de nomophobie (*no mobile phone phobia*). Le *phnubbing*, enfin, désigne la consultation ostensible de son smartphone entre collègues, amis, amants, et membres d'une même famille alors même que l'on nous adresse la parole. Le mot est la contraction des termes *phone*, pour téléphone, et *snubbing*, « snober ». Il reste optimiste dans sa construction, puisqu'il formule l'hypothèse d'une action volontaire. La simple observation pousse à la conclusion inverse : le *phnubbing* est devenu un réflexe totalement inconscient : la moelle épinière a pris le pouvoir sur le cerveau. Le smartphone nous a démédullés.

La société numérique rassemble un peuple de drogués hypnotisés par l'écran. À trop faire le parallèle avec les habitudes qu'avaient créées chez nous les journaux, la radio, la télévision, nous n'avons pas pris garde au glissement de l'habitude vers l'addiction. Trois éléments distincts définissent le phénomène : la tolérance, la compulsion et l'assuétude. La tolérance énonce la nécessité, pour l'organisme, d'augmenter les doses de façon régulière pour obtenir le même taux de satisfaction. La compulsion traduit l'impossibilité, pour un individu, de résister à son envie. Et l'assuétude, la servitude, en pensée comme en acte, à cette envie, qui finit par prendre toute la place dans l'existence. Le simple énoncé des critères conjugués à l'observation de nous-mêmes et de notre entourage force le diagnostic : nous sommes sous emprise.

Et l'emprise étend peu à peu son royaume, installant çà et là des fragilités mentales jusqu'ici inconnues. Le Near Future Laboratory, un groupe de travail rassemblant experts et médecins, a pu en observer quatre : le syndrome d'anxiété, la schizophrénie de profil, l'athazagoraphobie et l'assombrissement.

Le syndrome d'anxiété est la plus commune de ces fragilités. Il se manifeste par le besoin permanent d'étaler les différents moments de l'existence, aussi dérisoires soient-ils, sur l'ensemble des réseaux. Une story sur Instagram, une photo sur Facebook, un tweet. L'angoisse qui l'accompagne naît de la peur de ne pas trouver le « bon moment » ou la « bonne photo » à poster, et de la crainte que celle-ci ne provoque pas suffisamment de réactions d'approbation, malgré les filtres et autres outils d'édition qui permettent d'en magnifier le contenu. Les accidents de selfie d'une personne qui se blesse ou se tue après avoir pris des risques insensés pour prendre la photo qui épatera son réseau peuvent nous faire sourire, ils sont la manifestation extrême d'une anxiété sociale partagée. L'existence sur smartphone est une vie par procuration dont la clé de voûte est la peur de disparaître sans le regard et les jugements électroniques des autres, quand bien même les autres ne sont que des profils croisés par hasard au cours de pérégrinations électroniques. Le soulagement obtenu par un grand nombre de « likes » est éphémère, puisqu'il laisse la place à l'anxiété renouvelée de trouver le prochain post qui permettra d'égaler ce score.

La schizophrénie de profil atteint ceux qui, jonglant avec la possibilité d'avoir plusieurs identités différentes sur les réseaux sociaux et autres sites de rencontre en ligne, finissent par ne plus savoir distinguer les identités choisies de leur propre personnalité. Pris au jeu des conversations de leurs différents masques, ils ne savent plus lequel privilégier lorsqu'il s'agit de se confronter à la vraie vie.

L'athazagoraphobie, la peur d'être oublié par ses pairs, connaît de nouveaux développements liés aux réseaux sociaux. Ceux-ci, en affichant en permanence les résultats chiffrés de chacune des actions entreprises dans leur espace, nourrissent la mélancolie de ceux qui se sentent abandonnés, ou soumis à l'indifférence de la part de leurs connaissances numériques. Tel un spectre, l'athazagoraphobe consulte son smartphone dans l'espoir d'un « j'aime », d'un « like », d'un « share », d'une « mention », qui démentira sa certitude d'être un individu de seconde catégorie méritant l'oubli dans lequel son groupe l'a plongé.

L'assombrissement, dernière des pathologies mentales énoncées par le Near Future Laboratory, désigne la vanité de toute quête visant à pister un individu sur les réseaux sociaux jusqu'à s'en rendre malade. Celui qui en est victime cherche sans repos des traces de vie d'une ou plusieurs personnes, transformées en proies numériques. Ces traces ont beau être aussi fabriquées ou arrangées que celles qu'il a lui-même laissées, il n'est pas capable de les analyser avec distance, et s'enferme peu à peu dans un jeu de miroirs déformants. À chaque lien ou photo trouvée, l'autre paraît plus présent, mais la réalité de son être s'éloigne. L'obsession de trouver d'autres liens grandit à mesure que l'insatisfaction augmente, et le sujet plonge dans un « assombrissement » qui ressemble à un état pré-dépressif.

L'avalanche de signes, de sollicitations, de stimuli électroniques a eu raison de nos barrières. Chaque minute, 480 000 tweets nourrissent la plate-forme à l'oiseau bleu, 2,4 millions de snaps sont publiés sur Snapchat, pendant que 973 000 personnes à travers la planète se branchent sur Facebook. Ils ne sont « que » 174 000 à consulter Instagram, mais le chiffre, chaque mois, augmente. La liste de ce qui occupe 60 secondes des humains connectés donne le vertige : 38 millions de messages, 18 millions de sms, 1,1 million de « swipes » sur Tinder – ce mouvement latéral de l'index visant à passer à un autre profil sur le site de rencontre –, 4,3 millions de vidéos vues sur YouTube, 187 millions de courriers électroniques… L'université d'Oxford a essayé, il y a quelques années, de mesurer l'écart entre le « temps libre » disponible pour chaque individu et ce à quoi ce même individu avait accès, en termes d'offre d'information, de divertissement et de culture par l'intermédiaire des médias classiques. La prodigieuse augmentation du contenu disponible entre 1945 et 2000 semble désormais bien modeste, et l'université britannique a dû abandonner ses calculs : l'infini ne peut être mis en fraction.

L'abondance de signes et de sollicitations n'explique pas tout. Nos réponses à ce flot ininterrompu auraient pu être différentes, et les addictions nouvelles ne sont pas le produit du hasard. Le vertige que provoque la séparation d'avec les outils connectés et de leurs applications est un produit de laboratoire, tout comme le besoin compulsif de répondre aux sollicitations numériques qui envahissent nos écrans. La formule est largement antérieure à l'invention de l'Internet, et ses premières mises en application disaient sa nature : elle fit et fait encore la fortune des casinos et de leurs machines à sous. Mais c'est délibérément qu'elles ont été utilisées par les grandes entreprises de la Silicon Valley. La dépendance n'est pas un effet indésirable de nos usages connectés, elle est l'effet recherché par de nombreuses interfaces et services qui structurent notre consommation numérique.

C'est à Harvard, aux États-Unis, en 1931, qu'un laboratoire des sciences du comportement a documenté, pour la première fois, les théories comportementales utilisées par l'industrie du jeu, puis par les réseaux sociaux.

Comme il est d'usage, c'est un rongeur qui servit de cobaye aux chercheurs, qui placèrent une souris dans une boîte en forme de gros cube aux parois transparentes et vitrées. À l'intérieur de la boîte, un bouton actionnable par l'animal permettait la distribution de nourriture, des petits bâtonnets dont les rongeurs sont friands. Elle n'était pas la première souris à être observée de la sorte. Les précédentes avaient vite compris qu'appuyer sur le bouton permettait de recevoir une ration de nourriture. Elles avaient montré une capacité d'apprentissage rapide, qui avait fini par conduire à une sorte de maîtrise. Le tâtonnement initial avait d'abord créé un mouvement de pression un peu erratique. Puis le lien entre la cause et la conséquence avait été compris, et, curieusement, les souris avaient appuyé beaucoup plus rarement sur le bouton de nourriture.

Les chercheurs avaient fini par en établir la raison : elles ne déclenchaient le mécanisme que lorsque la faim se faisait sentir. Tels des humains entourés de nourriture à tout moment disponible, il n'y avait plus aucune urgence à entasser des provisions. Les souris étaient devenues maîtres d'une machine construite pour les contrôler, et leur conditionnement apparaissait moins automatique qu'on pouvait l'imaginer.

Aussi les chercheurs décidèrent-ils de se livrer à une expérience totalement différente avec un autre animal. Au début, tout s'était passé comme à l'accoutumée. Les appuis avaient provoqué une distribution de nourriture, et l'animal avait compris le lien de cause à effet. Mais, ensuite, tout changea. Parfois, une pression était suivie d'une très grande quantité de bâtonnets, parfois, au contraire, rien ne tombait du tuyau d'approvisionnement. D'autres fois, c'était une toute petite dose. Rien n'était jamais pareil, ni prévisible. La souris aurait pu, par lassitude, se détourner du bouton. Mais c'est l'inverse qui se produisit. Mue par la possibilité d'une récompense, l'animal refusa d'abandonner le mécanisme, quitte à ne plus le comprendre. Il ne cessa d'appuyer dessus, de façon de plus en plus rapprochée, de plus en plus violente, de plus en plus automatique. Même rassasié, il continua. La nourriture était devenue secondaire, la souris était incapable de se détacher du bouton. Son conditionnement avait fait naître sa servitude au mécanisme.

Devenue aussi célèbre que le chien de Pavlov, la souris du professeur Burrhus Frederic Skinner a mis en lumière le biais comportemental que produisent les systèmes à récompense aléatoire. Loin de faire naître la distance ou le découragement, l'incertitude produit une compulsion qui se transforme en addiction. L'appât du gain, même minuscule, empêche tout éloignement face au mécanisme. Comme la récompense est irrégulière, il est impossible, pour le sujet soumis à l'expérience, d'élaborer un comportement visant à maîtriser la machine.

Mort en 1990, un an après la création du Web, Burrhus Frederic Skinner n'aura pas vu ses travaux devenir la matrice du comportement que les grandes plates-formes numériques tentent de produire chez leurs utilisateurs. Il aura, en revanche, eu connaissance de leur essor dans l'industrie du jeu, et notamment au sein des casinos.

Toute entreprise commerciale essaie de comprendre le comportement humain pour améliorer ses performances. Les préférences individuelles sont décortiquées, les habitudes étudiées, les réactions enregistrées, afin de mieux se conformer à ce qu'elles révèlent. Ainsi de la grande distribution, qui améliore sans cesse la taille de ses caddies (plus ils sont grands, plus ils seront remplis), le placement de ses différents produits (ceux à forte marge à portée de main, les autres moins accessibles), et les chemins préétablis que parcourront ses clients afin d'augmenter leur consommation par visite (les produits encombrants et nécessaires en fin de parcours pour ne pas prendre de place à ceux qui sont plus dispensables et plus onéreux). Des ingénieurs travaillent sans relâche pour provoquer des réactions d'achat qui s'imposent au libre arbitre. Rien n'est laissé au hasard, mais le système est « imparfait » à deux titres. Les observations sur lesquelles il repose sont réalisées à partir de groupes représentatifs selon la méthode des sondages, elles ne sont donc pas individuelles. Ensuite, quand bien même il tente, dans sa mise en scène, de produire un environnement « festif », un hypermarché n'est pas un lieu entièrement tourné vers la production de récompenses. Il reste un endroit utilitaire où s'expriment des pensées individuelles (être économe, aller vite) qui vont à l'encontre des tentatives d'orientation du comportement. S'ils arrivent à fonder leur prospérité sur le développement de l'habitude, les hypermarchés n'arrivent pas à produire de l'addiction proprement dite.

Tel n'est pas le cas des casinos, qui sont pensés pour produire une servitude psychologique entièrement construite sur la dépendance qu'engendre la récompense aléatoire. Ainsi du réglage des machines à sous et de leur alignement. Il laisse tout joueur au contact du gain possible en rendant visible le jackpot qui vient de tomber pour un de ses voisins et le pousse à enchaîner les mises de façon compulsive. Encore ne s'agit-il que de la méthode la moins élaborée. L'ensemble des connaissances en psychologie sont utilisées dans ces temples du jeu, qui font naître en toute connaissance de cause des troubles du comportement et une addiction pouvant conduire à la ruine. Le joueur est comme la souris dans sa boîte transparente. La dangerosité de cet environnement explique qu'il soit fortement encadré.

Certaines plates-formes numériques mettent en œuvre des mécanismes similaires, en captant l'attention des utilisateurs par un système de récompenses aléatoires, dont l'effet sur ceux qui y cèdent est comparable à celui des machines à sous. Les gains numériques peuvent paraître dérisoires, mais les plates-formes disposent de trois avantages sur les casinos. Les observations comportementales qu'elles effectuent pour perfectionner leur système sont réalisées à partir de milliards de données, conjuguées aux données individuelles de l'utilisateur, ce qui permet de se rapprocher d'un environnement quasiment personnalisé afin d'en accroître l'efficacité addictive. Et bien qu'il existe théoriquement une limite d'âge (l'ouverture d'un compte Facebook requiert quinze ans révolus), les plates-formes s'adressent naturellement aux plus jeunes.

Chez les enfants, la capacité à effectuer un choix raisonné qui ne succombe pas à la tentation immédiate n'est pas encore totalement formée. Elle se situe dans la zone avant du cerveau (le cortex orbitofrontal). Un choix provoque une confrontation entre cette zone, qui a tendance à donner la priorité au calcul à long terme, et une autre – le striatum et le noyau accumbens – qui privilégie la satisfaction instantanée. Lorsque les sollicitations sont trop nombreuses pendant l'enfance, une certaine fatigue décisionnelle s'installe, et le sujet abandonne la lutte contre le plaisir immédiat que fait naître la réponse à un stimulus électronique, aussi minime soit-il. D'autant que la satisfaction instantanée produit de la dopamine, cette molécule du plaisir, qui envoie un signal court au cerveau primitif et lui donne envie de recommencer. L'addiction est une dépendance à la dopamine.

Certaines applications produisent cet effet de récompense aléatoire. Le bric-à-brac désordonné des fils Twitter, de la *timeline* de Facebook, où ce que l'on peut trouver va du sublime au minable, de l'utile au dérisoire, du sérieux au ridicule, produit l'effet d'une machine à sous qui délivre tantôt 5 centimes, tantôt 100 000 euros. Il en est de même pour l'application de rencontre Tinder, dont l'utilisation suppose de faire passer, à coup d'index qui « swipe », quantité de profils devant son regard, en marquant ceux avec lesquels on aimerait « aller plus loin ». L'algorithme qui organise la présentation des différents profils aurait pu agir comme un artificier, se rapprochant peu à peu des goûts précis de l'utilisateur à mesure qu'il collecte les données de celui-ci. Mais le résultat gagnerait en prévisibilité ce qu'il perdrait en aléas, et l'utilisation de l'application pourrait devenir moins compulsive. Le temps de consultation moyen du site de rencontre en serait altéré. Aussi, l'intelligence artificielle de Tinder opère-t-elle de façon inverse. Elle entretient l'alternance entre profils proches des choix passés et potentiellement susceptibles de plaire, et profils plus éloignés de l'historique des choix. Le caractère aléatoire du résultat est ainsi entretenu, pour que l'utilisateur reste « accro ». La tendance observée de l'ensemble des plates-formes à nourrir leurs recommandations avec une part de découverte ne s'explique pas uniquement par la volonté d'élargir leur offre pour nous extraire de la bulle dans laquelle nous ont enfermés des propositions fondées sur des comportements passés ou similaires. La « sérendipité dans la recherche » permet également de lier le résultat à une part d'incertitude, et de créer, pour l'utilisateur, la possibilité addictive d'être tantôt déçu, tantôt émerveillé.

Les services numériques ne limitent pas l'utilisation des enseignements de la psychologie comportementale aux systèmes à récompense aléatoire. Le besoin de complétude, la prise en charge de la fatigue décisionnelle, et la théorie de l'expérience optimale structurent le fonctionnement des applications les plus utilisées. Avec, à chaque fois, l'objectif affiché d'accroître le temps passé par l'utilisateur, dans l'espoir qu'il abandonne le contrôle de ce temps.

La psychologue russe Bluma Zeigarnik (1900-1988) a posé, dès 1929, le cadre théorique de la complétude, plus connu sous le nom d'« effet Zeigarnik ». Proposer un ensemble d'actions comme étant liées, et devant être enchaînées sans pause, c'est créer de l'incomplétude, et pousser le sujet à ne ressentir de la satisfaction qu'à la fin de la série d'actions en lui faisant oublier son libre arbitre lors des différentes étapes. Peu importe la valeur de chaque action, il n'y a délivrance qu'à la fin de l'exécution de l'ensemble des tâches proposées. La plate-forme de vidéo par abonnement Netflix ne fonctionne pas autrement. La programmation par les chaînes de télévision d'une série à raison d'un épisode par semaine vise à créer un rituel, une habitude. Il s'agit d'opérer un dosage subtil : satisfaire le téléspectateur pour lui donner une raison de revenir, mais aussi le frustrer de façon modérée avec une arche narrative non résolue pour qu'il n'oublie pas de le faire. Ce genre de série fonctionne évidemment sur Netflix, mais l'ergonomie du site tout comme certaines séries spécialement écrites pour la plate-forme sont fondées sur la théorie de la complétude afin de passer de l'habitude à l'addiction. Ce qui compte n'est pas la qualité de la série, mais la frustration liée au visionnage incomplet. L'enchaînement des vidéos vise à ne pas interrompre la dépendance par d'autres sollicitations. Ce mécanisme est renforcé par la fonction « autoplay » qui permet d'enchaîner les épisodes sans avoir à faire un geste ou exprimer une volonté. Elle évoque les théories de la prise en charge, qui rendent le sujet dépendant d'un environnement qui le soulage de la fatigue liée à la prise de décision. L'utilisateur se laisse porter, passif, dans un univers qui sur-sollicite les réponses. Ce confort, agréable dans un premier temps, devient vite nécessaire, et prend le pas, là encore, sur la zone de contrôle du cerveau.

La théorie de l'expérience optimale développée par le psychologue hongrois Mihaly Csikszentmihalyi est un autre outil de psychologie comportementale utilisé par les plates-formes numériques, notamment celles qui proposent des jeux d'apparence très simple (Candy Crush, par exemple). Les algorithmes proposent une expérience différente à chaque joueur. Il ne s'agit pas d'adapter le niveau de difficulté de façon précise, pour qu'il soit réglé sur le niveau exact des capacités du joueur. Ni trop facile, ni, surtout, trop difficile, le jeu doit pouvoir être automatique, ce qui procure la satisfaction intense d'extraire le joueur de son environnement immédiat et du flot de soucis auquel il est associé. Malgré la mise en scène « sportive », avec points, scores et classement, il ne s'agit plus ici de compétition, de dépassement de soi ou des autres, mais de se sentir entouré par un écran protecteur.

Notre enfer quotidien, c'est nous-mêmes. Sans repos possible, gorgés de dopamine, nous veillons sans relâche. L'alerte permanente, l'exploitation de notre passivité, la flatterie de notre narcissisme et la prise en charge par l'annonce immédiate de ce qui est à venir scandent nos existences numériques. Nous voulions la liberté du choix, le vertige de la maîtrise de l'information et des signaux. Mais la réalité de la dépendance nous guette. Les outils d'émancipation qui ne « devaient faire aucun mal », selon le slogan historique de Google, ont développé des techniques qui nous ont mis sur le chemin de la régression, et ne nous permettent pas de sortir de l'expérience sans ressentir la douleur de la séparation. « Nous ne l'avons pas voulu », proclament certains de leurs dirigeants. Les faits démontrent le contraire.

CHAPITRE 3

Utopie

La mort du rêve provoque-t-elle celle du rêveur ?

Le 7 février 2018, à l'âge de 70 ans, John Perry Barlow s'est éteint dans son sommeil, lui dont l'existence avait été faite de bruit et de fureur. Sa mort est passée inaperçue, à rebours d'une vie qui avait fait de lui l'un des prophètes de l'idéologie libertaire et l'un des fondateurs du réseau numérique.

Étrange phénomène que les associations d'idées. Était-ce le rythme de son nom ? Sans doute. Chaque fois que l'on évoquait John Perry Barlow, c'était la chanson de Bob Dylan, *John Wesley Harding*, qui se faisait entendre : « *He traveled with a gun in every hand, (...) but he was never known to hurt an honest man.* » « Il voyageait avec un pistolet dans chaque main, mais jamais on ne put dire de lui qu'il avait blessé un homme honnête. » John Perry Barlow avait tout d'un desperado, « un cow-boy spatial aux barillets chargés jusqu'à la gueule, tout de noir vêtu, un héritier littéraire de Walt Whitman », selon la description qu'en faisait *The Economist*.

Il habita de façon successive une infinité d'identités, et cultivait leur énumération comme autant de chapitres à l'ultime roman américain qu'il voulait faire de sa vie. Mormon dans le Wyoming, ranchero avec John Kennedy Junior, interne dans le Colorado, motard à la *Easy Rider*, poète, visiteur du manoir new-yorkais de Millbrook hanté par Timothy Leary, adepte du LSD, mais aussi porte-parole de candidats républicains, possiblement dealer de cocaïne et étudiant en théologie, écrivain à ses heures, et, surtout, ami d'enfance de Bob Weir, musicien dyslexique, leader du groupe de rock psychédélique Grateful Dead, qui régna pendant trente ans sur la baie de San Francisco grâce à des concerts constitués d'improvisations radicales et défoncées. Fidèle en amitié, en galère et en projets, Barlow, qui avait la plume facile, lui donna un coup de main, et écrivit plusieurs classiques : *Cassidy*, *Looks Like Rain*, *Mexicali Blues*, *Hell in a Bucket*...

Le physique présentait les stigmates d'une vie cabossée, l'allure traduisait l'envie d'en découdre, et l'esprit portait en bandoulière la fierté d'appartenir à l'aristocratie du rock. « Parolier du Dead », c'est comme cela qu'il voulait qu'on le présente. La première fois que je l'ai rencontré, c'était en mai 2011, à l'occasion d'un de ces « sommets » numériques qui rassemblent l'ensemble du secteur, c'est-à-dire, surtout, les Américains de la Silicon Valley. Mais c'était à Paris. L'Élysée et Publicis avaient organisé en grande pompe un événement « eG8 » dans les jardins des Tuileries, avec les patrons de l'Internet et ceux de ce que l'on appelle les industries culturelles. On pouvait croiser le fondateur de Facebook, Mark Zuckerberg, au Starbucks de l'Opéra, attablé dans l'anonymat le plus complet.

Un débat sur la propriété intellectuelle avait été organisé, qui semblait déséquilibré : ses participants, ministre de la Culture français, patrons de *major* de cinéma américaine, grand éditeur ou patron de maison de disques étaient connus pour leur soutien aux politiques visant à contrôler le plus possible Internet et ses utilisateurs. Quitte à ne pas faire de différence entre la copie et le vol, oublier le rôle de l'absence d'offre légale dans le développement du piratage, jeter un voile sur le rôle ambigu des fournisseurs d'accès, confondre la défense nécessaire du droit d'auteur et celle de la chaîne de valeur des industries culturelles héritées du XXe siècle et, surtout, affirmer la supériorité du droit patrimonial sur l'exercice de la liberté individuelle en ligne. Alors on avait été chercher John Perry Barlow, lui, le pirate, celui qui avait rejoint la communauté des hackers dès 1989, pour dynamiter tout cela.

Il était arrivé dans les coulisses légèrement claudicant, barbu, trapu, habillé de noir, s'appuyant sur une canne au pommeau en tête de mort, la flasque de whisky à la main. Il en imposait, et pourtant, il était chaleureux, attentif, et intransigeant. Au patron de la maison de disques qui l'avait salué par un « Bonjour, nous sommes collègues, je suis aussi dans le business de la musique », il avait répondu de sa voix éraillée : « Non, vous, c'est le plastique votre activité. Moi je suis dans la musique. »

Barlow était le père de la dernière utopie du XXe siècle. Inspiré par la communauté des fans du Grateful Dead qui investirent l'informatique à ses débuts, proche des créateurs du magazine *Wired*, fondateur de l'EFF, l'Electronic Frontier Foundation, un groupe de pression combattant tout ce qui constitue à ses yeux une tentative d'entrave aux libertés numériques.

Libertaire absolu, nourri par un rejet viscéral de l'État qui lui a fait fréquenter les anarchistes comme l'aile droite du parti républicain, contempteur infatigable des tentatives étatiques d'appropriation du Web, Barlow a rédigé, le 8 février 1996, ce qui reste le texte fondateur de l'utopie numérique : la *Déclaration d'indépendance du cyberespace*, un monde qui est « partout et nulle part », sans territoire ni réalités physiques, et dont le principe unique doit être la liberté d'accès et d'expression sans entraves. Simple réaction de colère à l'encontre de la promulgation d'une loi sur les télécommunications, la déclaration d'indépendance a très vite attiré à elle des centaines de milliers de soutiens, pour devenir la charte de tous les adeptes de la liberté numérique, hackers, créateurs, technophiles, penseurs.

Mise en exergue, une citation de Thomas Jefferson, extraite de ses *Notes on Virginia*, exprime le credo fondateur du réseau : « Seule l'erreur a besoin du soutien du gouvernement. La vérité peut se débrouiller toute seule. » Cette foi s'est altérée, et le texte, victime de sa naïveté, a vieilli. Ceux qui le revendiquent intégralement sont moins nombreux, mais il reste la colonne vertébrale des rêves numériques des débuts, qui s'opposent à toute intervention qui pourrait limiter l'exercice de la liberté collective.

Il rejette tout pouvoir au nom des temps à venir : « Hier, l'autre invertébré de la Maison Blanche a signé le Telecom Reform Act de 1996 (...). Cette législation cherche à imposer des contraintes sur la conversation dans le cyberespace plus fortes que celles qui existent aujourd'hui à la cafétéria du Sénat. (...) Cette loi a été mise en œuvre contre nous par des gens qui n'ont pas la moindre idée de qui nous sommes, ni où notre conversation est conduite. C'est comme si (...) les analphabètes pouvaient vous dire quoi lire (...). Eh bien, qu'ils aillent se faire foutre. »

S'ensuivent des professions de foi positivistes, qui lient le développement numérique à l'apparition d'une humanité meilleure.

« Gouvernements du monde industriel, vous géants fatigués de chair et d'acier, je viens du cyberespace, le nouveau domicile de l'esprit. Au nom du futur, je vous demande à vous du passé de nous laisser tranquilles. Vous n'êtes pas les bienvenus parmi nous. Vous n'avez pas de souveraineté où nous nous rassemblons (...). Le cyberespace ne se situe pas dans vos frontières. Ne pensez pas que vous pouvez le construire (...). C'est un produit naturel, il croît par notre action collective (...). Le cyberespace est fait de transactions, de relations, et de la pensée elle-même, formant comme une onde stationnaire dans la toile de nos communications. Notre monde est à la fois partout et nulle part, mais il n'est pas où vivent les corps (...). Vos concepts légaux de propriété, d'expression, d'identité, de mouvement, de contexte, ne s'appliquent pas à nous. Ils sont basés sur la matière, et il n'y a pas ici de matière (...).

Nous croyons que c'est de l'éthique, de la défense éclairée de l'intérêt propre et de l'intérêt commun que notre ordre émergera (...). Vous êtes terrifiés par vos propres enfants, parce qu'ils sont nés dans un monde où vous serez toujours des immigrants (...). Vos industries de plus en plus obsolètes se perpétueraient en proposant des lois (...) qui déclareraient que les idées sont un produit industriel comme un autre, pas plus noble que la fonte brute. Dans notre monde, ce que l'esprit humain crée peut être reproduit et distribué à l'infini pour un coût nul. L'acheminement global de la pensée n'a plus besoin de vos usines. (...)

Nous créerons une civilisation de l'esprit dans le cyberespace. Puisse-t-elle être plus humaine et plus juste que le monde issu de vos gouvernements. »

Plus de vingt ans après sa proclamation, la *Déclaration d'indépendance du cyberespace* ressemble à la lumière d'une étoile morte, témoin de quelque chose qui brilla mais ne sera plus. Son souffle traduit une espérance nourrie par un esprit bien supérieur au simple positivisme technologique.

Dans ses mémoires posthumes, *Mother American Night*, Barlow raconte sa découverte quasi mystique de Pierre Teilhard de Chardin alors qu'il est au lycée. « J'ai passé quinze années de ma vie à penser à son œuvre alors que je voyageais, et soudain l'évidence m'est apparue, le rêve de Teilhard était en train de se construire, depuis 1844 en fait, depuis que Samuel Morse avait mis au point le premier télégramme. » L'histoire raconte que le premier télégramme portait comme texte l'interrogation « Qu'est-ce que Dieu a forgé ? ». Pour Barlow, Teilhard de Chardin est celui qui pose des mots de transcendance sur la révolution électronique, et il ne va cesser de le présenter comme le prophète des temps numériques, au sein, notamment, du WELL, le Whole Earth 'Lectronic Link, fondé en 1985 par Stewart Brand, une messagerie non connectée à l'Internet, qui regroupe hackers et intellectuels disciples du jésuite français.

Pierre Teilhard de Chardin (1881-1955) fut à la fois philosophe, théologien, scientifique, et un paléontologue renommé. Sa théorie de l'évolution conjugue science et transcendance dans une même approche, puisqu'elle concerne non seulement les organismes vivants, mais également la matière et la pensée, voire l'esprit. Elle distingue trois étapes tendues vers une finalité qui agit comme une sorte de révélation. Le premier stade est celui de l'évolution géologique, la géosphère, suivi par l'évolution biologique, ou biosphère. L'évolution de la pensée produit la création d'une conscience universelle, ou noosphère, qui rayonne de l'énergie libérée par l'exercice de l'intelligence et des connaissances de l'humanité entière. Révélation finale, la noosphère débouche, pour Teilhard de Chardin, sur l'éternité de la christosphère.

Ce que Teilhard annonce, finalement, c'est la création d'une forme de conscience universelle et planétaire qui met en relation tous les champs de connaissance. Cette croyance recèle du positivisme, de la spiritualité et de la foi, dans une approche qui se veut scientifique. Au niveau planétaire, la noosphère naît de l'interconnexion des cerveaux humains. Elle se superpose aux autres formes d'organisation, pour fonder l'esprit de la terre ou de l'univers.

Pour Barlow et ses disciples, la noosphère, ce réseau planétaire pensant, ce système d'information et de connaissances partagées, cet esprit collectif conscient de lui-même, c'était l'Internet. Et cette création allait bouleverser le sort de l'humanité, mais aussi lui faire franchir une étape supplémentaire dans son évolution.

Cette conviction est restée celle d'une minorité. Mais elle a nourri la majorité des optimismes numériques, y compris le mien, en considérant la mise à disposition pour tous d'une information illimitée et l'amorce de l'économie du partage comme de simples étapes sans importance vers quelque chose de plus grand qui relevait de la civilisation. Elle a insufflé l'idée que ce processus relevait d'un déterminisme que Barlow aurait pu qualifier de divin, qu'il était naturel, et que toute intervention extérieure ne pouvait que le corrompre ou le détruire. À la main invisible du marché a été substituée celle du réseau. On ne savait pas, alors, qu'un marché en remplacerait un autre.

Quinze années durant, les mots de la *Déclaration d'indépendance du cyberespace* et le rêve d'une noosphère en formation ont prospéré, dans l'imaginaire d'une certaine pop culture et dans les théories qui ont imprégné le développement de l'économie numérique.

Ainsi du film *Avatar* de James Cameron, qui, en 2009, racontait une expédition spatiale sur une planète lointaine, la planète Pandora. Le caractère toxique de son atmosphère avait rendu nécessaire l'union des consciences à un corps biologique, composé de l'ADN des humains et de celui des Na'vis, les habitants de la planète, dans une allégorie convoquant écologie et idéalisme numérique.

Ainsi, dans un autre domaine, de la théorie de la sagesse des foules ou de l'intelligence collective. L'idée, développée notamment par James Surowiecki, partait du constat que l'on est « plus intelligent à cent que seul ». Parmi les exemples, la tentative de faire deviner le poids exact d'une vache à partir d'une photo est restée célèbre. Les interactions entre un grand nombre de participants connectés au site proposant le défi permettaient à chacun de corriger l'autre, d'apporter une hypothèse fructueuse, de faire part de son expérience. Le résultat avait été spectaculaire et le poids deviné à quelques grammes près. Aucun individu soumis en solitaire à l'interrogation n'aurait pu égaler la performance. L'idée, pourtant, ne se limitait pas à la simple possibilité statistique liée au calcul itératif. Elle faisait l'hypothèse, à rebours de l'économie, que « la bonne monnaie chasse la mauvaise », et que le réseau, de façon quasi magique, corrige ses propres erreurs. La fonction « autocorrectrice » étant intrinsèquement liée à la nature même de l'interconnexion, il fallait, pour les tenants de la sagesse des foules, que le réseau fût pur et parfait, sans frottement, sans biais technique, sans intervention de la part des opérateurs, sans distorsions légales, sans discriminations possibles entre utilisateurs. L'égalité totale associée à la liberté absolue pour atteindre la sagesse universelle.

Deux décennies plus tard, le constat est sans appel : la foule est bien là. La sagesse, pourtant convoquée, ne s'est pas présentée. Dépendance aux écrans, outrance du débat public, polarisation de l'espace public, réflexes qui prennent le pas sur la réflexion, l'agora transformée en arena : telle est notre époque. C'est le meilleur des temps, c'est le pire des temps.

L'utopie initiale est en train de mourir, tuée par les monstres auxquels elle a donné naissance. Deux forces ignorées par les libertaires se sont déployées en l'absence d'entrave : l'emportement collectif né des passions individuelles et le pouvoir économique né de l'accumulation. Nos addictions ne sont que le résultat du lien établi entre l'un et l'autre, et de la superstructure économique qui les fait se nourrir l'un de l'autre, se renforcer mutuellement au détriment de notre liberté.

CHAPITRE 4

Repentance

Les croyants en la noosphère numérique pariaient sur la raison et le partage pour atteindre une sorte de spiritualité collective. Leur utopie s'est effacée pour rejoindre le débarras encombré des illusions brisées. Mais à côté de ceux qui ont rêvé le monde numérique, se trouvent ceux qui l'ont construit. Signal faible au volume croissant, la culpabilité de certains d'entre eux s'installe comme un nouveau discours, alors même que le plus emblématique d'entre eux, Mark Zuckerberg, le patron de Facebook, continue de faire face aux accusations sans questionner la nature de son entreprise.

Chez ces nouveaux repentis, l'aveu tient lieu de regret, la confession d'explication. « Qu'avons-nous fait ? » La question, pour le moment, ne paraît habiter qu'une minorité. Et semble inaudible face au fracas des milliards de capitalisation boursière de la Silicon Valley, des quatre milliards d'individus connectés, des milliards de messages échangés, de vidéos uploadées, de tweets échangés. Mais ce n'est qu'une question de temps. Bientôt, il ne sera plus possible d'y échapper. Une question en forme de sentence.

Le défilé a commencé. Une procession de millionnaires se flagellant sur les origines de leur fortune, pour mieux s'étonner en public de ce que leur créature est devenue. Qui placent leurs enfants dans des écoles non connectées et leur interdisent l'usage de leurs inventions, à l'image du créateur de l'iPad qui en prohibe l'entrée à son domicile. La plupart dénoncent l'effet dévastateur de la connexion sur la psychologie humaine.

Il y a Sean Parker, ancien cadre dirigeant de Facebook, qui déclare publiquement : « Dieu seul sait ce que nous sommes en train de faire avec le cerveau de nos enfants » et révèle que le réseau social pour lequel il a travaillé profite des faiblesses psychologiques des plus jeunes. Il est rejoint par Chamath Palihapitiya, un autre ancien de Facebook devenu capital-risqueur, gestionnaire de fonds d'investissement. Ou encore Justin Rosenstein, le créateur du bouton « like » sur Facebook.

Tristan Harris incarne ce mouvement de façon plus personnelle encore. Ancien designer en charge de l'éthique chez Google, chargé, donc, de créer un design des interfaces qui puisse préserver le libre arbitre de l'utilisateur, il fut le premier à dire que la mission qui lui avait été confiée était contraire à la nature intrinsèque du fonctionnement de son employeur. La contradiction ne pouvait être dépassée. Au fond, déclara-t-il au magazine *1843* qu'édite *The Economist* : « Le véritable objectif des géants de la tech est de rendre les gens dépendants, en profitant de leur vulnérabilité psychologique. »

Ceux qui regrettent se regroupent désormais dans des associations qui portent le nom de leur programme : Time Well Spent, « du temps bien passé », ou Center for Humane Technology, le « centre pour une technologie humaine ». Et ils se comptent lors d'événements chaque fois plus ambitieux, telle la conférence « La vérité sur la technologie », organisée en février 2018, qui se donne entre autres pour mission d'« aller voir sous le capot » des algorithmes des réseaux sociaux, et de ceux de Facebook en premier lieu. Nul ne sait encore s'ils seront rejoints par Kevin Systrom et Mike Krieger, les fondateurs d'Instagram, la plate-forme de photos, vidéos et « stories » rachetée par Facebook en 2012, qui ont quitté l'entreprise de Mark Zuckerberg. Ce départ ressemble à un choc tellurique dans le monde pourtant agité de la Silicon Valley.

Le fondateur

Le plus emblématique des nouveaux opposants est aussi le plus actif. On ne sache pas que Dieu ait un jour regretté d'avoir créé le monde. Tim Berners-Lee, le père de l'Internet, lui, le fait désormais publiquement. Il a lancé une fondation, la World Wide Web Foundation, pour soutenir son action. Dans un entretien donné à *Vanity Fair* en juillet 2018, il explique : « Nous savons désormais que le Web a échoué. Il devait servir l'humanité, c'est raté. La centralisation accrue du Web a fini par produire un phénomène émergent de grande ampleur qui attaque l'humanité entière. Et cela a été fait sans action délibérée de ceux qui ont dessiné cette plate-forme. »

L'histoire de Berners-Lee est connue. Fils de deux informaticiens, élevé à Londres, doué pour la programmation informatique, il élabore très tôt des systèmes de partage du savoir. Une de ses premières créations dit le caractère de l'homme : EWUE, « Enquire Within Upon Everything » (cherchez sur tout à l'intérieur de tout). En 1989, alors qu'il travaille au CERN (Conseil européen pour la recherche nucléaire) à Genève, il lance un outil à destination des scientifiques afin qu'ils puissent échanger les résultats de leurs travaux. La première démonstration a lieu dans une salle de classe, deux ans plus tard, dans une indifférence polie. Dérivé de l'Arpanet, le réseau de défense créé par les États-Unis, Internet est né. Mais c'est la décision d'associer le principe des liens hypertexte (qui relient données et documents) à celui de l'Internet qui produit la révolution numérique. La publication du code source a fait du World Wide Web une plate-forme d'échange et de partage, engendrant une espérance démocratique qui allait rapidement dépasser son cadre technologique, pour toucher toute la société.

Dès l'origine, le réseau est construit sur le double principe de l'accès universel gratuit et de la collaboration de l'ensemble de ses utilisateurs afin de l'améliorer et le faire croître. L'efficacité est implacable. En l'absence de pouvoir central, chacun est libre d'inventer ce qu'il souhaite pour nourrir le

Web mondial : ni autorisation ni licence ne lui sont demandées. L'individu est tout-puissant face à ce réseau. La réussite de chaque projet semble dépendre du talent, de l'intuition et de la foi qui y sont occupés. Le mythe du « garage » se développe, qui raconte la naissance des principales réussites de la Valley dans les annexes des pavillons californiens investis par des étudiants géniaux. La réalité historique de la première époque de l'Internet ne contredit pas cette légende. Mais la mythologie est trop belle pour ne pas être associée aux récits religieux (l'étable), ou à ceux qui fondent la pop culture (le groupe de rock), ce qui explique peut-être qu'elle perdure des années après.

La formule initiale du Web était fondée sur le pouvoir égalisateur de la connexion. Chaque utilisateur pouvait avoir accès à toute l'information et toute la connaissance, et, dans ce système décentralisé, chacun semblait jouir de la même dose de pouvoir. Aujourd'hui, il y a ceux qui espionnent et ceux qui sont espionnés, que ce soit par des États ou des entreprises avides de données. L'égalité parfaite a engendré une asymétrie inédite. Comme l'explique Berners-Lee, « personne n'a rien volé, mais il y a eu captation et accumulation. Facebook, Google, Amazon, avec quelques agences, sont capables de contrôler, manipuler et espionner comme nul autre auparavant ».

Curieux destin que celui de cet inventeur qui voit grandir sa création et ne la reconnaît plus. D'autant plus étrange que son « cocréateur », Vinton Cerf, est dans le même temps devenu « Chief Internet Evangelist », évangéliste numérique, chez Google. L'espace collectif qu'il avait imaginé s'est aujourd'hui privatisé. Certains des pionniers, devenus expansionnistes, ont exproprié leurs semblables pour faire de ce nouveau continent leur royaume.

Tim Berners-Lee essaie désormais de renouer avec l'utopie première d'un Internet décentralisé. Il a créé Solid, un système où de petits groupes d'informaticiens tentent de bâtir des solutions collaboratives, sans passer par les plates-formes qui régentent désormais nos vies. Les libertariens sont devenus résistants. Mais là où il fallait conquérir, il faut désormais reconquérir.

Berners-Lee parle d'or. Il ouvre la voie à l'expression d'un sentiment diffus qui nous tient éveillés la nuit à la lueur de nos écrans à luminosité restreinte, alors qu'apparaissent dans la pénombre les alertes, importantes ou insignifiantes, qui tel un goutte-à-goutte hospitalier nourrissent la solitude de nos existences connectées.

La trahison

Je fais partie de ceux qui y ont cru.

Et je n'étais pas seul. Travaillant dans le numérique depuis plus de vingt ans, j'ai participé, de façon modeste et infinitésimale, à la révolution de l'information, de la culture et du savoir, disponibles pour tous à tout moment et en tout endroit de la planète, à la promotion d'une agora ouverte qui renforce le débat démocratique, à l'élaboration d'une économie du partage solidaire.

J'y crois encore.

Le bal des repentis alerte les esprits mais il nourrit aussi le fatalisme. Il laisse croire au caractère inexorable de la toute-puissance des plates-formes, et à l'horizon indépassable d'un univers numérique organisé autour de leur fonctionnement et de leur économie. Ce sentiment plonge ceux qui le partagent dans un dilemme indépassable : accepter la dépendance ou rejeter totalement le numérique.

Il est temps de reprendre le combat pour un réseau mondial tourné vers l'échange et le partage. Ou la mort de Barlow n'aura finalement été qu'une pelletée de terre sur le rêve d'un Internet libre et libertaire, au profit d'un cyberespace fermé aux aventuriers pour être mieux livré aux marchands.

Il nous faut comprendre ce qui nous est arrivé.

Nulle malédiction millénariste, nul déterminisme technologique n'expliquent le remplacement de la société du partage par la jungle de l'accumulation, du débat ouvert à tous par le choc des passions, et des communautés collaboratives par la société de surveillance. Notre situation est le résultat économique d'un laisser-faire que nous avons confondu avec la liberté politique. Les libertariens voulaient l'émancipation par la libre discussion individuelle et collective, ils sont témoins de la domination du technocapitalisme de l'économie de l'attention.

Nous n'avons pas à nous repentir : nous avons été trahis.

CHAPITRE 5

La matrice

La pop culture nous a appris que chaque empire possède son étoile noire.

Celle de l'empire des données se trouve au cœur de l'université qui structure la Silicon Valley depuis trois décennies déjà. Stanford University, la matrice de la condition numérique, étend son vaste campus à Palo Alto à 50 kilomètres au sud de San Francisco. En son centre, une église à arcade et mosaïques, la Stanford Memorial Church, et, à quelques mètres de là, de banals locaux aérés et modernes qui hébergent, depuis sa création en 1998, le Persuasive Technology Lab, le laboratoire des technologies de la persuasion. Ce nom un peu pompeux et vaguement inquiétant rassemble des équipes d'ingénieurs et d'étudiants dirigées depuis l'origine par le docteur en informatique B.J. Fogg, 60 ans désormais.

Curieux personnage que B.J. Fogg, qui ne veut comme tout prénom que les deux initiales qu'il prononce avec un accent californien assumé, *Beyjay*. Le physique est typique de l'Amérique blanche de l'ouest des États-Unis. Allure sportive, chemise à carreaux ou chemisette unie, sourire impeccable, discours formaté de celui qui a l'habitude de parler en public. Élevé dans une famille mormone de Fresno, il a acquis un début de notoriété lors de la présentation de sa thèse de doctorat sur les « ordinateurs charismatiques ». Ce travail postulait que la façon dont les ordinateurs s'adressent à leurs utilisateurs, leur graphisme, la conception de leur interface et leur langage, sont aussi importants que les informations qu'ils délivrent. Ainsi le contexte de transmission du message fait-il partie du message lui-même, et le lien qui unit l'humain à l'écran d'ordinateur est beaucoup plus complexe que celui qui met en relation l'humain à un simple outil.

Sa thèse soutenue, Fogg trouve les fonds pour créer un laboratoire au sein de Stanford. Son but : développer des interfaces conformes à ses travaux, bien avant la création des réseaux sociaux, alors même que l'Internet se limite à des sites au graphisme standardisé auxquels on accède via des portails ou via la saisie directe d'adresses électroniques. Un peu plus de dix années plus tard, Fogg est devenu le « nouveau gourou que vous devriez absolument connaître », selon les mots de *Fortune Magazine*, le « fabricant de millionnaires » qui a formé plus d'un leader des licornes de la Valley, ces entreprises numériques dont la valeur dépasse le milliard de dollars. Les fondateurs d'Instagram sont parmi les plus renommés. Assez fier de lui, B.J. se fait plus discret depuis que Facebook est accusé de manipulation et de surveillance de ses utilisateurs, au point de modifier les présentations qu'il fait de son activité et de rendre publiques ses apparitions dans des colloques sur le bien-être au travail. Mais si le discours a évolué, la nature des produits sortis de son laboratoire est restée la même.

« J'essaie de trouver comment les ordinateurs peuvent changer ce que les gens pensent et ce que les gens font, explique-t-il. Et comment ces ordinateurs peuvent produire ces changements de façon autonome. Quand je parle des ordinateurs, je parle en fait de toutes les expériences numériques. » À titre d'illustration, Fogg aime dessiner un graphique fait de deux « patates » qui rappellent la théorie des ensembles. Dans un cercle, les comportements humains, classés en différentes catégories : le changement d'attitude, la motivation, la manipulation et l'obéissance volontaire. L'autre cercle est celui de la technologie numérique : applications, mondes virtuels, services numériques, softwares. Rapprocher un cercle de l'autre jusqu'à les superposer illustre la mission que s'est donnée le Persuasive Lab, qui a inventé un terme pour nommer sa science : la « captologie », ou l'art de capter l'attention de l'utilisateur, que ce dernier le veuille ou non.

Les techniques du laboratoire nous ont tous plongés dans une adolescence numérique qui n'en finit pas. Car c'est l'observation des comportements adolescents qui a inspiré la captologie. « Les *teenagers* sont totalement tournés vers la compétition », explique Fogg, qui analyse les motivations de cette classe d'âge qui aime la comparaison et les indicateurs de performance (points, niveaux, scores) mais les préfère dans le cadre protecteur du jeu, isolés de la « vraie vie ». La compétition sans ses conséquences réelles forme une bulle de satisfaction qui développe l'idée que le monde à portée tactile est plus satisfaisant que celui qui nous entoure. D'où l'attirance qu'il peut produire, sur laquelle travaille le Persuasive Lab.

Pour développer l'attraction des plates-formes numériques et leur capacité à absorber l'attention que les utilisateurs y consacrent, « le lien manquant n'est pas la technologie, c'est la psychologie ». Les interfaces numériques et leur graphisme conçus par les ingénieurs de Fogg développent leur influence sur les trois éléments distincts du comportement : la motivation, l'habileté (la capacité à mener à bien l'action) et l'élément déclencheur. Ce dernier a une composante sociale qui peut être la volonté de comparer ses capacités et performances à celles des autres, selon les théories de la comparaison sociale de Leon Festinger. Mais il peut aussi être lié à la peur. Une peur sociale, naturellement, de rater l'immanquable alors même que les proches, les « amis » ou les connaissances y auront eu accès. Cette anxiété, qui va de pair avec la crainte d'être exclu par l'ignorance, est désignée par l'acronyme FoMO, « Fear of Missing Out ».

Le champ d'activité de la captologie, ce sont les IHM, les interfaces homme-machine. Et le graphisme représente sa principale production, dont les résultats sont mesurés à l'aune de l'attention, volontaire ou non, qu'elle réussit à capturer auprès des utilisateurs des services numériques. Le nombre de connexions, leur durée, le nombre d'interactions, sont les paramètres objectifs. Ces graphismes sont les outils numériques de conquête du temps humain.

La démarche revendique une approche positiviste et propose d'obéir à des règles éthiques. Mais les paramètres de performance de la captologie ne s'expliquent que dans le cadre de modèles économiques dont le chiffre d'affaires dépend justement du temps passé en ligne. Soit le modèle des plates-formes qui vivent de la publicité ou de l'économie de l'attention en général.

Dans la quête du temps de cerveau des humains, le graphisme des utilisateurs, l'UX Design, est devenu une arme économique d'autant plus efficace qu'il transforme une habitude en addiction. Dans sa version la plus agressive à l'encontre du libre arbitre, la conception des interfaces qui cherche à produire de la dépendance est appelée, presque cinématographiquement, *dark design*, le design obscur. Elle vise une forme de piratage du cerveau, le *brain hacking*. Les géants de l'Internet l'utilisent dans un mode concurrentiel qui s'apparente à une course aux armements. Un autre repenti de la tech, Bill Davidow, l'a expliqué dans un article paru dans *The Atlantic*, « Exploiting the Neuroscience of Internet Addiction » : « Ces grandes entreprises numériques de l'Internet font face à un impératif intéressant mais moralement questionnable : soit elles arrivent à pirater les neurosciences pour agrandir leur part de marché et faire d'immenses profits, soit elles laissent la concurrence le faire et partir avec le marché. »

La civilisation numérique est fondée sur les données, leur collecte et leur utilisation. Le capitalisme numérique sera un data-capitalisme. Les données personnelles ont souvent été comparées au pétrole de cette économie à venir, nécessaire à toute production, et accordant une richesse inégalée à ceux qui sont capables à la fois de les détenir, et de les « raffiner » en les transformant en algorithmes. Mais dans sa forme initiale, brute, sans contrôle, l'utilisation de ce pétrole s'est faite dans une seule et même direction : comprendre les comportements pour mieux les prévoir, voire les influencer. Avec deux objectifs qui sont comme les deux faces d'une même pièce : la surveillance pour les ordres autoritaires, et la captation du temps pour l'économie libérale de l'attention. Le forage pour le pétrole des données masque la ruée vers « l'or du temps », selon les mots d'André Breton.

La ruée vers le temps

L'hyperproduction de signes est une conséquence de la mutation technologique qui permet à tous de produire et de transmettre de l'écrit, du son et de l'image au prix d'outils numériques détenus par plusieurs milliards de personnes sur la planète. La constitution de réseaux a favorisé la création de plates-formes qui rendent disponibles les productions sans barrières spatiales ou temporelles autres que juridiques. Leur efficacité dépend en effet du nombre d'utilisateurs et de l'absence de « frottement » dans leurs interconnexions. Pour les grands réseaux, assurer la circulation d'un maximum de signes entre un maximum de personnes dans un minimum de temps et en l'absence de toute contrainte est un gage d'efficacité. Tout le monde peut créer, et la planète entière peut lire, voir, ou écouter, l'accumulation de ce qui a été fait. L'univers numérique est en croissance constante, mais le temps disponible, lui, ne l'est pas. Du moins en théorie.

Le sociologue Hartmut Rosa a énoncé le concept d'accélération sociale pour décrire le mécanisme à l'œuvre dans la transformation des sociétés confrontées au progrès technique, et notamment au progrès numérique. Il rappelle que l'industrialisation, la production de masse, et une certaine répartition des richesses (obtenue, souvent, par des mécanismes de confrontation et négociation) charriaient le projet d'une production de temps disponible pour tous. Le temps libre devait croître à mesure que le développement économique se déployait : « Un monde délivré de toutes les contraintes liées au manque de temps et à la frénésie, émancipé du temps, et qui aurait transformé cette denrée rare en ressource abondante. » Ou, selon les mots de Bertrand Russell dans *Éloge de l'oisiveté* (1932), « un des résultats avantageux de la richesse économique est un mode de vie tranquille et harmonieux ». Au point qu'en 1964 le magazine *Life* se préoccupait de l'excédent de temps libre et des conséquences psychologiques (dépression, ennui) que ce surplus allait entraîner sur la civilisation américaine.

Mais c'est l'inverse qui est arrivé. « Nous n'avons pas le temps, alors même que nous en gagnons toujours plus », souligne Rosa, qui met en avant le concept d'accélération sociale pour expliquer le phénomène. Nos sociétés sont constituées de façon temporelle. Leur modèle économique n'est pas fait pour une vitesse constante : la production demande une accélération de la consommation, alors même que les bassins démographiques les plus riches ne sont pas en expansion. Le temps est donc devenu la denrée rare, la ressource la plus demandée, et celle sur laquelle se construit l'ensemble de la croissance économique actuelle.

L'économiste Renaud Vignes, dans un article pour *The Conversation*, a analysé à quel point le temps était devenu une denrée précieuse, dont la valeur justifie les énormes moyens économiques, techniques et psychologiques mis en œuvre pour s'en emparer. Le temps individuel et social est une frontière qui n'est plus inaccessible. Il représente une ressource vitale pour la forme moderne du technocapitalisme né après le choc numérique. « Gagner du temps » peut se faire de deux façons : d'abord, en réduisant le temps nécessaire des actions habituellement entreprises ; ensuite, en augmentant la productivité en permettant à l'utilisateur de mener à bien plusieurs actions de façon simultanée. « Faire plusieurs choses en même temps et les faire plus rapidement est une nécessité du modèle économique. » La valeur du temps augmente du fait de sa rareté, mais la richesse qui en est extraite doit être supérieure à cette valeur pour que le modèle puisse continuer à se développer.

Vignes évoque l'économiste Gary Becker, qui explique le comportement du consommateur numérique par la volonté de « maximiser » sa consommation de biens et de services en fonction du temps dont il dispose. Chaque décision met sous forme d'équation le prix à payer pour le bien, et le temps « perdu » ou gagné à en faire l'acquisition. « Le consommateur pourra obtenir une même satisfaction en mélangeant différentes combinaisons temps-dépense en fonction des prix relatifs des biens et du temps. » Faire gagner du temps au consommateur représente, pour ce dernier, un gain qu'il peut estimer supérieur à la valeur des biens et services qu'il souhaite acquérir. L'accélération sociale augmente inexorablement la valeur du temps et la préférence que lui accordent les individus, alors que, parallèlement, le prix des biens baisse.

L'économie numérique s'est insérée dans la conquête économique du temps. Les libertaires l'avaient rêvée économie du partage, les praticiens l'ont créée sous forme d'économie de la captation.

Les algorithmes ne sont que des formules mathématiques qui mettent en équation de l'intelligence élaborée à partir des milliards de données collectées par les grandes plates-formes numériques. Les 3 V nécessaires à l'exploitation des données, la vitesse, le volume et la variété, doivent se conjuguer au savoir scientifique capable de créer de l'intelligence artificielle à partir de celles-ci. Les géants de l'Internet ont fait le choix économique d'orienter la création de cette intelligence dans le but de s'emparer du temps de leurs utilisateurs pour mieux le vendre, aux publicitaires d'une part, aux services numériques d'autre part. Ce fut un choix. Il n'y avait en la matière aucune obligation technologique.

Les données identitaires, comportementales et contextuelles ont été mises en relation de façon à pouvoir analyser, copier, prévoir et influencer les comportements. Les algorithmes prédictifs sont les machines-outils de la production du temps. Mieux ils connaissent les comportements, plus il leur est possible de conditionner les réponses aux stimuli numériques, et concevoir ainsi des plates-formes et services dont nous sommes accros.

Les algorithmes chasseurs de temps

Toute l'économie numérique n'est pas tournée vers l'économie de l'attention, loin s'en faut. Mais sa partie la plus visible et la plus quotidienne l'est de façon indubitable. Tout comme le sont les algorithmes d'intelligence artificielle les plus communs, ceux qui nous entourent en régissant nos actions face aux écrans. Le philosophe Bernard Stiegler peut parler à leur sujet de bêtise artificielle, ils n'ont pas besoin d'être très sophistiqués. Leur objectif principal est de jouer sur les ressorts psychologiques déterminants dans l'inflexion des comportements.

Il s'agit pour ces premières expressions de l'intelligence artificielle d'assurer la connexion permanente des utilisateurs, des interactions nombreuses et les plus rapprochées possible, des actions conformes à leurs recommandations. Selon le philosophe Éric Sadin, « l'intelligence artificielle, c'est un mode de rationalité technologique cherchant à optimiser toute situation, à satisfaire nombre d'intérêts privés et au bout du compte, à faire prévaloir un utilitarisme généralisé ». Elle exprime « la volonté de l'industrie du numérique d'être continuellement à nos côtés afin d'infléchir nos gestes en énonçant ce qui est supposé nous convenir ».

L'équilibre impossible

Capter le temps des utilisateurs connectés en leur proposant d'en gagner constitue le paradoxe insoluble de l'économie de l'attention. C'est un cercle vicieux et infini, où l'humain consomme toujours plus de son temps pour en produire une quantité croissante. Mais ce processus de production associe un mécanisme de dépossession, puisque au passage s'est construit un lien de dépendance avec l'outil numérique qui conquiert, transforme et produit le temps. C'est en ce sens que le philosophe Byung-Chul Han a pu, dans son livre *Dans la nuée*, parler d'auto-asservissement.

L'existence d'une valeur ajoutée dans ce mécanisme de production, soit un temps produit qui soit supérieur au temps investi, est largement discutable. La démarche semble en déséquilibre permanent, et condamnée à une fuite en avant sans arrivée possible. Elle se nourrit d'elle-même : plus elle réussit à créer des outils réussissant à s'approprier le temps encore disponible de l'utilisateur, plus il devient difficile de continuer à le faire, pour des raisons de fatigue. L'addiction à la drogue l'a maintes fois démontré : la satisfaction du manque entraîne une augmentation des doses. Il en est de même pour les armes de la captologie : elles doivent augmenter leur charge si elles veulent continuer à développer leur influence et accroître leurs résultats économiques. L'exploitation de l'attention ressemble à celle d'une mine à ciel ouvert, plus coûteuse, plus difficile à mesure que l'exploitation se poursuit. Plus dangereuse pour les mineurs que sont devenus les utilisateurs numériques dans la mine du temps.

Le maintien en alerte par des notifications folles est devenu permanent. À l'alerte qui signalait un événement majeur s'est ajoutée celle de l'événement mineur, puis de l'événement virtuel, qui aurait pu avoir lieu, et enfin de l'absence d'événement. Il en est de même sur les réseaux sociaux, qui sont passés du signal pour annoncer l'activité sociale des amis à l'alerte pour souligner l'absence d'activité. Dans la quête pour l'attention, il n'y a pas de limite possible.

CHAPITRE 6

L'aiguillage

Rien ne s'est passé comme prévu.

Il fut un temps où l'Internet portait des numéros, tels les millésimes technologiques du futur en construction. Le Web 1.0 avait connecté les informations et les institutions et nous avait conduits jusqu'en 1999, le 2.0 avait instauré l'interaction et mettait en relation les individus. La route était tracée : le 3.0 serait sémantique et lierait les savoirs, et le 4.0, les intelligences. Un aiguillage inattendu s'est présenté, qui a dévié le cours des choses. La forme nouvelle de l'Internet n'est pas sémantique, mais dessinée par l'économie de l'attention.

L'accusé

Il y a dix ans, le créateur et dirigeant de Facebook, Mark Zuckerberg, n'abandonnait son sweat à capuche qu'en une seule occasion : pour ses rendez-vous avec les chefs d'État. Désormais, c'est en costume-cravate qu'il apparaît sur les couvertures de magazines ou dans les auditions au Congrès des États-Unis, dans une position qui n'est plus celle du geek génial mis en scène par le film *The Social Network*, mais bien celle de l'accusé. Un accusé qui plaide non-coupable. Jamais, peut-être, ne fut-il plus sincère que lors d'un entretien-fleuve accordé à *Recode*, en juillet 2018. Y sont rappelés le cadre particulier des États-Unis et le premier amendement de la Constitution, qui protège jusqu'aux messages commerciaux : « Notre travail n'est pas d'avoir des gens, chez Facebook, qui décident de ce qui est vrai et de ce qui ne l'est pas. Nous obéissons à deux principes essentiels. Le premier, c'est de donner aux gens un moyen d'expression (*giving people a voice*), afin qu'ils puissent exprimer leur opinion, ce qui est fondamental. Nous défendons le droit de dire des choses même si elles ne sont pas bonnes. » Mais on y retrouve aussi le catéchisme propre à la Silicon Valley et qui tient en trois propositions : la technologie est intrinsèquement bonne car elle permet à la liberté de se déployer ; elle peut être pervertie par des groupes malveillants ; et, en ce cas, les solutions sont forcément technologiques et ne sauraient être politiques. « Je pense qu'il est juste de dire que nous fûmes trop idéalistes, et seulement soucieux du bien qu'il y a à connecter les gens entre eux et à donner aux gens une capacité d'expression… Nous n'avons sans doute pas fait assez attention aux aspects négatifs, mais je ne veux pas faire naître l'impression que nous n'avons pas assez œuvré pour la sécurité alors même que nous avions des milliers de personnes travaillant sur cette sécurité, avant les événements. »

Intervention après intervention, le patron de Facebook écarte le rôle de son modèle économique du champ d'analyse. Comme s'il ne jouait aucun rôle dans ce qu'est devenue sa plate-forme. Il est possible, pourtant, de donner une date au moment où tout a basculé.

C'est en 2008 que l'entreprise de Mark Zuckerberg a recruté Sheryl Sandberg, en provenance de Google. Cette dernière, passée par Harvard, la Banque mondiale, McKinsey et le département du Trésor américain, a amené chez Facebook un des savoir-faire qu'elle avait développés chez Google : la publicité ciblée, lancée en 2000, avec les *adwords*, la vente de mots clés.

Google avait développé cette activité en complément de son moteur de recherche : après l'éclatement de la première bulle financière Internet en avril 2000, il fallait trouver rapidement du chiffre d'affaires. Utiliser les données d'une recherche pour proposer à côté des résultats « naturels » des liens résultant d'une transaction commerciale semblait une décision logique. À partir de 2010, les deux principales entreprises de la Silicon Valley, celles qui occupent la plus grande partie de notre temps, ont désormais le même modèle : la publicité liée aux données individuelles.

La décision était cohérente et s'est révélée redoutablement efficace. En 2018, toute la publicité de Google ou Facebook est automatisée, structurée par les données et organisée par des algorithmes. Les deux entreprises sont devenues follement rentables. Google et Facebook absorbent 75 à 80 % de toute nouvelle publicité. Aux États-Unis par exemple,

44 % des revenus publicitaires sont engendrés par le numérique (90 milliards de dollars sur un total de 200 milliards, et la moitié de ces revenus est enregistrée par Google et Facebook). Le modèle pris pour renforcer les projets technologiques a fini par devenir le projet lui-même : 98 % des 40 milliards de revenus de Facebook proviennent de la publicité ciblée. Le ruissellement annoncé s'est terminé en prédation.

Le malentendu

Le dialogue des médias d'information (notamment les journaux) et des entreprises numériques date des tout premiers temps de l'Internet, du moment des pionniers. Pour y avoir participé, je peux en témoigner : les regards étaient tournés vers le vertige technique et l'idéal politique d'un accès universel à l'information. Aussi, quand Google se crée, en 1998, d'abord comme un moteur de recherche, puis comme une entreprise de services dont le but était d'« organiser toute l'information disponible », le dialogue s'est noué. Il ne s'est jamais rompu. Chacun, bien sûr, avait son style différent. Les séances de travail chez Google traduisaient la volonté vaguement dominatrice de l'entreprise de Mountain View de constituer le seul passeport possible, pour les journaux ou autres médias, sur ce que l'on qualifiait alors de migration numérique. Facebook, à ses débuts, était moins amène, plus soucieuse de transformer les médias d'information en simples fournisseurs.

Mais il y avait dans l'établissement de ces relations à la fois une promesse de croissance commune, et la certitude d'une concurrence à venir. Le mot utilisé, à l'époque, était celui de *frienemy*, à la fois ami et ennemi. On a peu parlé de l'effet mimétique entre les grands acteurs de l'Internet et les médias. Il est pourtant incontestable.

Le gâteau insaisissable

Pressés par leur valorisation boursière et une rentrée rapide de revenus, les géants de l'Internet se sont contentés de copier les journaux, radios ou télévisions, qui vivaient grâce à une publicité représentant entre 60 % (presse écrite) et 100 % de leurs recettes (radios et télévisions gratuites). Alors même qu'elles refusaient d'être considérées comme des médias pour ne pas en subir le cadre normatif, les plates-formes en adoptaient le comportement économique.

Deux idées atténuaient les craintes de concurrence pour ceux qui faisaient profession d'information : d'abord, les plates-formes assuraient une augmentation des usages et du temps passé en ligne, créant ainsi une nouvelle manne publicitaire. Ensuite, la taille de ce nouveau gâteau était telle que chacun pouvait espérer de substantiels gains. Ce scénario naïf s'accordait avec un désir qui n'avait rien d'économique : rendre disponible une information de qualité à la planète entière, sans barrière financière, et contribuer ainsi à la diversité des idées et à l'essor démocratique. En cela, il y avait une réminiscence de l'histoire de la presse moderne. La publicité lui avait permis de se construire comme média de masse en apportant un complément de recette nécessaire à une large diffusion. Et par une sorte d'effet paradoxal, de contribuer à la création du journalisme « moderne » : pour atteindre un maximum de lecteurs, il fallait, pour les quotidiens, traiter un grand nombre de sujets, ce qui renforçait le côté généraliste des rédactions et la promotion d'une déontologie professionnelle, malgré une dépendance face aux annonceurs, atténuée par les règles strictes de séparation entre les contenus journalistiques et les annonces publicitaires.

La construction intellectuelle d'un développement mondial de médias d'information financés par la publicité s'est brisée sur la mutation opérée par les géants de l'Internet.

Pour ceux qui fournissent l'information, les plates-formes sont devenues de faux-monnayeurs. À mesure que les géants du Web faisaient croître l'audience des médias, la valeur relative de cette audience diminuait. Pour une raison simple : dans l'univers numérique, l'espace publicitaire à vendre est illimité. Il y a donc une tendance permanente à la baisse des prix.

La nouvelle frontière

Puisque l'espace n'était pas la bonne « marchandise » publicitaire à proposer, il a fallu se rabattre sur le temps. La télévision et la radio faisaient déjà cela très bien. « Instruments d'industrialisation de la captation de l'attention humaine », selon les mots du professeur de droit américain Tim Wu, ils exerçaient cette activité dans un temps limité, celui d'une grille de programmes. Ce que l'un gagnait, l'autre le perdait. Ils étaient donc en concurrence l'un avec l'autre, dans le cadre d'une durée incompressible.

Pour développer leurs recettes publicitaires, les géants de l'Internet ont dû conquérir de nouveaux territoires, et le faire avec des outils que seuls eux détenaient et qui leur conféraient un avantage décisif. Le nouveau territoire, c'était le temps déjà occupé par des activités peu intéressantes (transport, files d'attente), ou au contraire tout à fait fondamentales (études, travail, vie personnelle et sociale, repos). L'outil exclusif, c'était la capacité de connaître l'identité et le comportement des individus grâce à leurs données d'usage. Le *service for data*, service contre la donnée, à savoir qui nous sommes, très vite connu de Google, et ce que nous faisons, aimons, vite exploité par Facebook.

Le mélange du territoire et de l'outil a donné naissance au capitalisme de l'attention, qui a immédiatement orienté une grande partie de la conception de l'intelligence artificielle.

L'algorithme permet de marier la puissance planétaire de la plate-forme avec l'affinité individuelle, grâce aux effets de réseau et aux milliards de données collectées. Le mécanisme se nourrit de lui-même : l'expansion du nombre d'utilisateurs avec le développement ininterrompu de services permet l'extraction d'un grand nombre de données, qui rend possibles l'utilisation et l'exploitation de ces données avec une précision croissante pour atteindre deux objectifs : le ciblage publicitaire, et l'accroissement de l'utilisation des services proposés par l'entreprise numérique.

L'efficacité imparable d'un tel dispositif permet de déployer des leviers publicitaires sur mesure. Le philosophe Yves Citton a distingué quatre catégories : 1) les messages ou alertes qui rentrent par effraction dans notre paysage mental sont des outils de création d'attention captive ; 2) la proposition de tout type de récompense nourrit l'attention attractive ; 3) le développement de messages divertissants, choquants ou sérieux, joue sur l'attention volontaire ; 4) l'attention aversive, enfin, provient de la peur de manquer l'immanquable (la FoMO).

Le trou noir

L'exploitation des données a changé la nature de la publicité et la sociabilité en ligne. L'Internet s'est réorganisé en écosystème exigeant en permanence des réponses à des stimuli rapides et superficiels, qui nourrissent les pulsions et les émotions. Un univers de prédation temporel instable qui se fragilise lui-même, car il n'est jamais satisfait.

Sans vraiment le vouloir, les géants de l'Internet ont créé un ordre économique attrape-tout. Pour conquérir le temps, il faut saisir tous les objets et toutes les données nées de toutes les vies.

Chaque contenu est désormais traité comme s'il était publicitaire. Facebook en est un exemple paroxystique : ce qui apparaît dans le *newsfeed*, cette suite de contenus que chaque utilisateur voit quand il se connecte sur son compte, est conçu par un algorithme qui prend en compte de nombreux facteurs liés à ses préférences individuelles, mais également le paiement (la sponsorisation) par celui qui voudra « pousser » son message et le rendre visible. Facebook mélange les messages publicitaires, les contenus professionnels, journalistiques, les messages politiques, les canulars, etc. Ne hiérarchisant ni les récepteurs, ni les émetteurs selon leur nature.

L'extraction des données n'en est qu'à ses débuts. Et, s'il est légitime de s'inquiéter de l'appropriation des données personnelles, l'utilisation qui en est faite ne devrait pas être oubliée. Car si la première déséquilibre le monde économique en créant des situations de quasi-monopole, la seconde affecte nos vies. À mesure qu'il sera de plus en plus difficile de conquérir du temps supplémentaire, il faudra extraire des données de plus en plus précises pour nourrir des algorithmes qui auront un impact de plus en plus grand sur nos psychés.

L'universitaire américaine Shoshana Zuboff a établi le parallèle entre capitalisme industriel et capitalisme numérique. Pour elle, le premier s'est développé à partir de l'appropriation de la nature et l'extraction de matières premières de la planète, jusqu'à en menacer l'équilibre. Le second exploite, avec la même intensité et sans souci des conséquences, les données identitaires et comportementales. Sans contrat autre qu'individuel et sans se préoccuper du bien commun. Nous sommes devenus les mines à ciel ouvert que forent les outils numériques à chaque fois que nous les utilisons. Et ce forage devient de plus en plus profond. La surveillance de nos vies est l'extension « naturelle » de la publicité ciblée.

CHAPITRE 7

Un jour sans fin

Mes 24 heures ne sont plus 24, mais 34.

L'équilibre n'est plus possible. Le rêve d'une « vie saine » s'estompe. Dans sa règle de vie monastique d'inspiration aristotélicienne, saint Benoît avait dessiné l'esquisse d'une existence harmonieuse : 24 heures réparties en trois tiers, l'un pour le corps (sommeil compris), le deuxième pour le travail (et la vie en société), et le troisième pour la vie intellectuelle ou la prière. Avec l'idée évidente que ce qui était consacré à une activité ne pouvait pas l'être à une autre. Un temps pour chaque chose, pour paraphraser l'Écclésiaste.

Les outils numériques ont généralisé la capacité technique de faire plusieurs choses en même temps. La connexion permanente et la mobilité ont conquis le temps « inutile », dans les transports notamment. Mais le modèle économique de l'attention impose une croissance permanente du temps passé devant l'écran. Alors, telle une principauté qui, pour construire ses nouveaux immeubles, doit gagner du terrain sur la mer, il a fallu aux entreprises numériques gagner du temps sur le temps dévolu à d'autres activités, en nous bombardant de sollicitations.

Et le résultat est impressionnant. En 2018, les 24 heures d'un citoyen américain durent plus de 30 heures. Le sommeil absorbe 7 heures d'une journée, la nourriture, le ménage, la vie sociale un temps similaire, 6 h 55, et le travail, 5 h 13. À ces 19 h 08 minutes s'ajoutent 12 h 04 par jour consacrées aux écrans, aux médias et au numérique. Une moitié de vie. Une moitié de vie commercialisable. Une moitié de vie commercialisée.

Le stroboscope universel

L'ensemble des écrans a fini par obéir aux stimuli de l'attention. Les alertes d'information scandent notre vie. Sur YouTube, les vidéos s'enchaînent dans un ordre établi par la machine pour maintenir l'utilisateur accro. Une enquête du *Wall Street Journal* de 2018 a affirmé que l'algorithme de recommandation suggérait, à chaque étape de visionnage, une version un peu plus « intense » de la vidéo précédente. Ce qui, dans le domaine politique et social, conduit assez vite l'utilisateur dans une galaxie de contenus extrémistes. S'est développée, aux États-Unis, la théorie grinçante des trois degrés qui nous séparent d'Alex Jones, le conspirationniste prétendant que la tuerie de Sandy Hook n'a jamais eu lieu : quoi que vous regardiez sur YouTube en termes de vidéo d'actualité, vous tomberez, au quatrième clic, sur un contenu complotiste.

Pendant ce temps, ceux qui créent du contenu doivent « craquer » la formule permettant à la vidéo d'être vue au moins trois secondes, ou, pour les plus patients, 10 secondes. Car les utilisateurs sont impatients : 30 % d'entre eux n'attendent pas la quatrième seconde d'une vidéo Facebook pour la quitter, déjà sollicités par d'autres alertes, d'autres liens, d'autres « pushs ».

Même impatience dans le domaine musical. Deezer ou Spotify ont changé la nature de l'industrie musicale : il lui fallait vendre des disques, il lui faut désormais faire écouter ses titres, au moins pendant 11 secondes. Car la rémunération commence à ce moment, et les utilisateurs ont la même impatience vis-à-vis de Spotify que vis-à-vis de Facebook quand il s'agit de découverte. Les créateurs de musique, celle qui se destine à être écoutée sur ces plates-formes, le savent : tout doit être suffisamment exposé pendant les 10 premières secondes pour avoir une chance d'exister. Créer, dans ces univers, c'est rendre accro de façon instantanée.

Quant à Netflix, après avoir joué sur l'enchaînement automatique des épisodes pour créer la dépendance, elle encourage une écriture qui prévoit, dès le quatrième épisode, suffisamment de rebondissements pour que l'on ne puisse plus quitter la série, quitte à tordre le scénario, et perdre en subtilité et en crédibilité.

La sursollicitation de nos sens, le bombardement de stimuli ont fini par sortir du réseau pour atteindre l'ensemble de nos activités. Ce n'est pas illogique : tout le monde se bat pour sa part de temps. Et au premier rang d'entre elles nos activités culturelles. Le cinéma de blockbuster à destination des adolescents propose désormais des plans ultra-brefs avec des effets visuels qui parient plus sur l'impression que le regard. Les téléphones portables ont beau être interdits en salle, ils ont formaté notre rythme d'attention, et restent une tentation présente dans la poche, à portée de main. La lecture, celle qui prend du temps, qui égare le lecteur dans ses pages manquantes, déploie ses univers intimes et prodigieux, n'est pas épargnée par la quête de l'attention. Le livre, comme activité économique, résiste. Mais le temps consacré à la lecture par les plus jeunes s'effondre. Malgré le raccourcissement des chapitres, et l'introduction, dans la littérature adolescente, des *cliffhangers* venus de la série télévisée.

Notre vie culturelle et intellectuelle est devenue stroboscopique.

Trop tard

Nos propres données sont utilisées contre nous. Le désir n'a plus le temps de se construire. Et si par hasard il se précise et s'exprime, il arrive toujours trop tard : des centaines de stimuli nous ont assaillis et ont exigé une réponse. Rassasiés avant d'avoir eu faim, nous le sommes par une nourriture que nous n'avons même pas eu le temps de humer et de goûter. « La disruption est ce qui va plus vite que la volonté, individuelle aussi bien que collective », pour reprendre la formule de Bernard Stiegler. Le temps qui nous a été volé est celui du manque, et donc du désir. Celui de l'amour, de l'autre, et de l'absolu.

CHAPITRE 8

Trop de réels tuent le réel

Atlanta, 13 octobre 2018. Il a fallu du temps à la police pour prendre au sérieux les appels qu'elle recevait depuis près d'une heure. La voix du vendeur trahissait son affolement : personne, depuis de longues minutes, n'était sorti de l'Ikea dans lequel il travaillait. Pour un samedi après-midi, à un peu plus d'un mois de Thanksgiving, c'était inquiétant. Quelque chose devait se passer, une prise d'otages, un accident, un phénomène inexplicable. À l'intérieur, nul affolement, au contraire : les caissiers consultaient leur smartphone pour passer le temps, dans l'attente de clients qui ne venaient pas. L'explication : quelqu'un s'était amusé à recouvrir le sol du magasin de flèches disposées de façon à créer un labyrinthe inextricable. Disciplinés et tout à leurs courses, les clients tournaient en rond, incapables de trouver la sortie. Ils passaient des chambres à coucher aux salons, des salons aux cuisines, aux bureaux, pour revenir à nouveau dans les chambres. Le magasin était gigantesque, aussi leur fallait-il du temps pour se rendre compte qu'ils étaient déjà passés par là, et l'architecture particulière des rayons rendait la sortie invisible. Ils erraient.

Vraie ou fausse, cette histoire, postée sur un site d'information inconnu du grand public, a été relayée en force sur les réseaux sociaux, assortis de commentaires tantôt hilares, tantôt scandalisés. La suite de l'article vendait la mèche en décrivant une situation tellement apocalyptique qu'elle ne pouvait que provoquer le rire : clients dormant sur les canapés, faisant une chaîne humaine dans l'espoir de trouver la sortie, dévalisant le restaurant pour constituer un stock de provisions, et même une femme enceinte forcée d'accoucher sur un des lits des espaces de démonstration.

Le succès de ce canular en ligne souligne les paradoxes de la discussion connectée. Pris au sérieux par ceux qui l'ont relayé avant d'en prendre totalement connaissance, il a bien sûr nourri une controverse sur le fonctionnement de la grande surface suédoise. Mais il traduit également la crainte de l'époque, autrement plus profonde. Ce parcours fléché est la matérialisation des algorithmes qui, en permanence, nous guident dans nos parcours et nos décisions : les suivre aveuglément en croyant à leur promesse d'optimisation a fait de nous des somnambules.

Prophétie autoréalisatrice

L'économie de l'attention a poussé les plates-formes à créer des environnements qui collent à nos attentes. Ce qui nous entoure devient notre horizon. Les comportements numériques s'expriment dans le cadre ainsi défini, et en renforcent la pertinence et la limite. La victime de ce mécanisme de prophétie autoréalisatrice est notre perception de l'espace.

La musique en donne un exemple moins anecdotique qu'il n'y paraît. Son confinement aux casques reliés aux smartphones et la liberté laissée à Spotify, Apple Music ou autre Deezer de la programmer, au gré des historiques d'écoute, des recommandations des « amis », et de tout ce que les données comportementales ont appris aux plates-formes, ont changé notre mémoire auditive. Les *playlists* et les radios relinéarisées ne doivent rien au hasard : dans le monde des datas, elles ne veulent ni bouleverser ni choquer, ni réveiller ni mobiliser, mais plutôt proposer quelque chose de confortable qui satisfasse de façon prévisible et individuelle. Même si une fonction « découverte » s'instille désormais dans les algorithmes de recommandation, la difficulté de l'utilisateur à être confronté à des sons qui lui sont étrangers est réelle. Les albums ne font plus événement autre que commercial, et l'irruption des artistes sur les réseaux sociaux, pour réussie qu'elle soit, n'arrive pas encore à trouver un écho qui aille au-delà de leurs *followers*. Le contexte n'est plus le même pour tout le monde, la musique du moment est fragmentée dans la solitude des écouteurs et les eaux glacées du calcul algorithmique.

Ce n'est pas la qualité ou la diversité de la création qui a changé, mais sa réception. Ainsi, le rock fut un mouvement social indissociable des nouveautés technologiques de l'époque. Le transistor rendait la musique mobile, dans un contexte de média de masse : la même musique, au même moment, pour tous. Alors même que le mange-disque ou la platine invitaient également à l'écoute collective, entre amis, ou « contre » sa famille. Pour ceux qui y croyaient, il s'agissait de conquérir l'espace public en y entrant d'abord par effraction, puis en imposant son look, ses festivals, ses modes de vie. Pour ou contre, il fallait prendre position. Affrontement de générations, lutte des classes, opposition des valeurs, le rock fut de toutes les tensions en étant la bande-son de l'époque. Tout est affaire de tribus autarciques aujourd'hui, et la musique n'échappe pas à l'irrévocable fragmentation des mondes.

Ce qui est arrivé à la musique s'étend à nos images, nos sons, nos lectures, nos souvenirs, nos croyances. L'exposition collective s'estompe, ou, plus exactement, elle n'est plus médiatisée. Nous vibrons de moins en moins ensemble à distance, ce qui fut un acquis du XXe siècle. Il nous faut, à nouveau, être physiquement côte à côte pour ressentir la communauté. Le paradoxe n'est pas sans saveur, il explique le renouveau des concerts et spectacles, mais il réduit notre universalité.

La fabrique du réel

Eli Pariser a développé le concept de bulles de filtrage dans son livre *The Filter Bubble*, paru en 2011. Il y dénonçait le tri opéré par les algorithmes de personnalisation des plates-formes quand ils sélectionnent l'information à laquelle un utilisateur est confronté.

Tous les algorithmes comportementaux ne sont pas identiques, mais ceux des réseaux sociaux conjuguent en général plusieurs historiques de données pour bâtir leurs recommandations : le comportement passé de l'utilisateur (on pense alors qu'il veut le reproduire) ; celui d'utilisateurs ayant des similarités avec lui (on pense alors qu'il va se comporter comme une personne ayant des goûts ou des opinions comparables) ; l'association entre contenus proches (on pense que l'intérêt manifesté plusieurs fois pour un type de contenu signale un intérêt constant et jamais rassasié) ; et, enfin, les contenus les plus populaires auprès de l'ensemble des utilisateurs (on parie sur le phénomène d'acceptation sociale). Le poids respectif de tel ou tel critère reste confidentiel selon les réseaux, qui y incluent également des données à caractère commercial.

Pour Pariser, les algorithmes emprisonnent un utilisateur dans une bulle d'informations, qui l'enferme dans sa propre vision du monde et « l'endoctrine avec sa propre opinion ». Les thèmes et sujets couverts par les grandes plates-formes sociales ne se limitent pas à l'information, et, peu à peu, c'est l'ensemble du contexte d'un utilisateur qu'elles finissent par construire, et donc son rapport à la réalité. Comme le précise Éric Sadin, « il s'agit de créer une réalité qui nous soit conforme, afin de nous plonger le plus longtemps possible et de façon la plus répétée possible dans cet univers. Ces systèmes computationnels sont dotés d'une singulière et troublante vocation : énoncer la vérité ».

Pressé de définir la réalité, l'écrivain Philip K. Dick, qui n'avait cessé de construire des univers parallèles dans ses nouvelles, dystopies, uchronies, rêves hallucinatoires, ne trouva, en 1978, qu'une définition par l'absurde : « La réalité, c'est quelque chose qui ne s'en va pas quand vous cessez de croire en elle. Je ne trouve pas mieux comme définition. » Avant de finir par admettre : « Mais la réalité, c'est avant tout personnel. »

C'est un des fondateurs de l'éthologie, l'Allemand Jakob von Uexküll, qui, le premier, a élaboré la théorie de l'*Umwelt*, la réalité perçue. Travaillant notamment sur les tiques, Uexküll a démontré que chaque espèce expérimentait un sens de la réalité totalement différent de celui des autres espèces. Aucune *Umwelt* n'est comparable, car ce qui est perçu est lié aux prédéterminations de l'espèce. Mais c'est une réalité à part entière. Ce qui est vu est lié à ce qui est nécessaire à la survie, ou à ce qui la menace. La tique ne perçoit pas la même chose que l'humain, qui, lui-même, est incapable de sentir ce que le chien sent. L'*Umwelt* s'oppose à l'*Umgebung*, la réalité globale, inaccessible à tous, infinie.

La réalité est une expérience. La solidarité collective et le destin commun naissent de la construction d'une expérience partagée. Les médias et les institutions d'enseignement, notamment, au-delà de leurs missions directes (informer, enseigner), existent pour accentuer, dépasser la frontière de la perception individuelle, et contribuer à la création d'une même réalité par la communauté humaine. « Chaque être humain confond les limites de son propre champ de vision avec les limites du monde », prévient Arthur Schopenhauer. Les formules mathématiques qui régentent notre circulation numérique, en créant un champ de vision différent par utilisateur, finissent par créer autant de réalités que d'utilisateurs, et une infinité d'*Umwelt*.

Philip K. Dick a écrit sur les psychés bouleversées. Énoncée plus de dix ans avant l'invention de l'Internet et près de vingt ans avant celle des réseaux sociaux, sa sentence résonne de façon troublante : « Le bombardement de pseudo-réalités finit par produire des humains non authentiques, aussi faux que les données qui les entourent de toute part. Les fausses réalités vont créer des faux humains ; et les faux humains vont à leur tour produire des réalités et les vendre à d'autres humains en les transformant à leur tour en faussaires. C'est juste une version élargie de Disneyland. »

Le rapprochement de notre société avec le *1984* de George Orwell est un sujet aussi ancien que l'invention de l'Internet. Dans un livre qui a fait date, *Amusing Ourselves to Death* (*Se distraire à en mourir*), écrit avant même la généralisation du réseau, Neil Postman opposait les récits d'Orwell et d'Aldous Huxley, *1984* et *Le Meilleur des mondes*, pour conclure à l'actualité du dernier aux dépens du premier. *1984* décrivait une oppression imposée par un pouvoir extérieur, remplaçant l'information par la propagande, un monde où les livres sont interdits, où la vérité est dissimulée, et la contrainte imposée par la violence. Huxley, quant à lui, annonçait une civilisation séduite, gavée par un torrent de contenus, rendue esclave et comme somnambule par le plaisir qu'elle s'inflige. Dans cette dystopie, « il n'y a plus de raison d'interdire un livre, car plus personne ne veut en lire ». L'information disponible est noyée « dans un flot d'absurdités ». Pour Postman, il n'y avait guère de doute, le débit exponentiel du flux de contenus, qui « nous aide à oublier que nous allons mourir », nous avait sauvés d'Orwell pour nous plonger dans Huxley.

Près de trente-cinq ans après sa parution, l'analyse de Postman garde son caractère prophétique : le flot est bien là, et notre servitude au divertissement s'est transformée en addiction. Mais c'est une prophétie incomplète. Car ce flot, pour débordant qu'il soit, ne nous arrive pas de façon erratique. Il est organisé par une économie prédatrice.

Le retour d'Orwell ne s'est pas fait par le politique, mais par l'économique. La jonction avec Huxley est réalisée à l'échelle de chacun. Nous sommes les acteurs de notre propre propagande.

Effondrement ?

Le capitalisme de l'attention, pour intrusif et désespérant qu'il soit, n'est pas stable. La machine s'est emballée, et commence à produire les signes de son propre effondrement. La fabrique de réalités individuelles a produit un empire du faux.

Faux humains, fausses statistiques, faux comptes, faux sites, faux contenus se conjuguent pour obtenir de vrais dollars (ou de vrais euros). Il y a bien sûr les robots, ces formules qui génèrent de façon automatique des connexions sur les réseaux sociaux, ou créent de fausses consultations sur des sites fantômes de façon à faire croire aux publicitaires que leurs annonces sont regardées et cliquées. Leur activité a pris des proportions considérables. La plupart des études évaluent l'activité humaine à moins de 60 % de l'activité totale sur Internet. Le reste, soit plus de 40 %, est une attention factice, produite par des robots ou par des humains dont c'est le métier. Car l'économie de l'attention a son *Lumpenproletariat.* Les « usines à clics » se multiplient dans le monde, en Chine notamment. Y travaillent des jeunes le plus souvent, chacun « responsable » de plusieurs dizaines de téléphones. Leur travail : connecter chaque téléphone à la même vidéo, pour gonfler les chiffres d'audience.

Le faux ainsi produit fragilise l'économie de l'attention alors même qu'il en est une conséquence. On ne peut vendre durablement que ce qui existe. L'activité factice menace tout le modèle à terme. L'incapacité de Facebook à produire des chiffres d'audience fiables ne relève pas de la malhonnêteté, mais de la submersion : en 2018, la plate-forme a reconnu que sa mesure du temps de visionnage des vidéos pouvait, dans certains cas, être « surestimée de 60 à 80 % ». YouTube – qui appartient à Google – a, de son côté, créé des outils technologiques afin de détecter les fausses audiences nées de robots se faisant passer pour des humains. Robots contre robots.

Les spécialistes du réseau ont appelé cela *l'inversion*. Le moment où la technologie, dépassée par l'audience et les contenus élaborés par des robots, finit par considérer celle en provenance d'êtres humains comme fausse parce qu'elle est devenue minoritaire, et donc « déviante » par rapport au comportement majoritaire qui est celui des machines. Pour le journaliste Max Read, un des plus fins analystes de l'Internet (son blog, Life in Pixels, est une référence), fin 2018, nous y sommes. Que le constat soit juste ou erroné, il énonce une sortie possible : ce modèle de prédation humaine n'est plus tenable économiquement.

CHAPITRE 9

Le kaléidoscope asymétrique

Toute épidémie se raconte à partir de son patient zéro.

Tel un surrégénérateur qui produit l'énergie nécessaire à son propre développement, l'économie de l'attention engendre et se nourrit d'un flot ininterrompu de récits fragmentaires et démembrés. Seule leur *efficacité de réseau* les distingue dans le nombre, qui fonde leur hiérarchisation au sein des différentes plates-formes. Jouer sur la surprise, le rire, la colère, les croyances, les émotions, les indignations, les outrances, c'est associer au message une « prime de viralité » qui lui garantira d'être partagé, souvent même avant d'avoir été lu, et lui permettra de surnager dans un torrent de signes. Comment s'étonner alors que la vérité cède le pas à la vraisemblance et le réflexe à la réflexion ? Les fausses nouvelles (« infox » dans la traduction officielle) ne sont finalement qu'une manifestation infime des récits numériques qui ne se préoccupent d'aucune exactitude. Ce n'est pas leur nature qui les distingue des millions d'autres récits, mais l'impact qu'on leur prête sur ceux qui y sont exposés, et parfois, la volonté de nuire qu'on suppose être à leur origine. Pour qu'il y ait manipulation, un manipulé est nécessaire, un manipulateur pas forcément. À moins que cela ne soit l'inverse.

Le phénomène est aussi ancien que la communication humaine. Les médias de masse ont ouvert un chapitre sans précédent dans l'usage de la propagande, mais peu de moments « non politiques » ont pu être aussi finement observés que ce qui arriva le soir du 30 octobre 1938 sur la côte Est des États-Unis.

Ce soir-là, les Américains qui écoutaient la radio eurent la surprise d'entendre un bulletin d'information spécial racontant la chute d'une météorite dans la campagne du New Jersey. Au fil des minutes, les témoignages, recueillis en direct, firent état de créatures étranges, d'implacables machines de guerre, et de morts par dizaines à cause d'un gaz asphyxiant. Sur les ondes, l'invasion extraterrestre avait commencé. Dans le studio, Orson Welles, 23 ans à l'époque et doté d'une petite notoriété dans le monde du théâtre et de la radio, s'amusait. Il avait décidé d'utiliser les codes du journal radiophonique pour raconter *La Guerre des mondes* de H.G. Wells : faux envoyés spéciaux, fausses ruptures de faisceau, fausses hésitations devant l'ampleur de l'événement fabriqué, tout y était.

Deux légendes, ensuite, s'affrontent. La première raconte une panique générale qui aurait saisi la moitié du pays. La radio noyée sous les demandes de précisions, la police saturée d'appels, des familles qui prennent la route vers le nord et encombrent l'ensemble du réseau routier, des magasins dévalisés, d'autres qui se barricadent dans les tours de Manhattan, des crises de panique dans les hôpitaux, voire des tentatives de suicide… La source principale à l'origine de ce récit apocalyptique est le *New York Times*, qui, dès le lendemain de l'émission, parle d'« hystérie collective massive », donne de nombreux détails et condamne sans nuance l'irresponsabilité de CBS, la radio organisatrice de la performance.

La seconde légende prend l'exact contre-pied de la première : les auditeurs inquiets n'auraient pas été aussi nombreux que le prétendrait le journal, et, passé un premier moment de stupeur, la quasi-totalité d'entre eux se seraient rendu compte qu'ils écoutaient une fiction radiophonique. Et c'est Welles lui-même qui aurait monté en épingle quelques appels et courriers d'auditeurs inquiets.

Seul le contexte de réception transforme une fiction se faisant passer pour une information en une « fausse » nouvelle. Il faut pour cela qu'elle soit lue (ou entendue, ou vue), crue, et qu'elle modifie le comportement ou la pensée de ceux qui l'ont reçue.

Le cas de *La Guerre des mondes* démontre la complexité des diagnostics, comme le développe A. Brad Schwartz, dans son ouvrage *Broadcast Hysteria, Orson Welles's War of the Worlds and the Art of Fake News*. Pour savoir si la fiction d'une invasion venue de l'espace fut largement entendue et si elle fut crue au point de déclencher une vraie panique, Schwartz a consulté les centaines de lettres envoyées à Orson Welles dans les jours suivant la retransmission, étudié la presse, rassemblé les témoignages écrits de l'époque. Et ce qu'il en retient éclaire d'une lumière paradoxale et inquiétante ce que nous sommes en train de vivre depuis l'explosion des réseaux sociaux et des robots accélérateurs de rumeurs.

Le courrier envoyé à Welles montre que l'audience fut réelle : de nombreux auditeurs écoutèrent et réagirent à la radiodiffusion, mais leurs réactions ne correspondent à aucun des récits écrits sur cet épisode. Elles ne sont pas monolithiques, et, surtout, elles évoluent à mesure que le récit se déploie.

Cette fausse nouvelle avant l'heure n'est pas passée inaperçue, elle a touché ceux qui y ont été exposés. Mais peu y ont cru vraiment, et c'est d'avoir failli y croire qui provoque la colère : « Pendant un moment, j'ai vraiment cru que les extraterrestres étaient arrivés. » L'inquiétude ne résulte pas d'une crédulité avérée, mais d'une crédulité possible, chez soi en premier lieu, chez les autres ensuite.

Car ceux qui relaient le plus l'existence d'une panique collective sont justement ceux qui ne se sont pas laissé prendre, mais qui sont persuadés que les autres y ont cru, et qui, de ce fait, réclament l'interdiction des fictions radiophoniques. Dit autrement, ceux qui crient à la panique sont justement ceux qui n'y ont pas cédé.

La crédulité, c'est les autres.

C'est au nom de la faiblesse supposée d'un public moins « averti » que les autorités américaines sont intervenues sur les politiques éditoriales des radios. Et ce n'est pas la panique de ceux qui ont pensé que les extraterrestres arrivaient qui a changé l'espace public américain, mais la croyance injustifiée en l'existence d'une panique. 1938 délivre ce message mi-optimiste, mi-pessimiste : les fausses nouvelles ont l'effet qu'on leur prête, et il convient de ne pas croire que les autres croient ce que nous ne croyons pas nous-mêmes.

Polyphonie

La crédulité n'épuise pas la question de la vérité à l'ère numérique. Depuis 1938, le contexte général s'est transformé, et rien n'est plus comparable. Chacun a la capacité de créer des récits et des boucles de rétroaction. La vérité, dans ce contexte, est diffractée dans un kaléidoscope infini où les pouvoirs ne sont pas répartis de façon équitable.

Ce que la Rand Corporation appelle la *truth decay*, la déchéance de la vérité, est en fait une multiplication des voix, des convictions, et des contextes d'interprétation. Hannah Arendt distinguait deux types de vérités, la vérité scientifique, que l'on peut prouver et démontrer par l'expérience et le savoir, et la vérité de fait, qui résulte du témoignage autour d'un événement. Pour la philosophe germano-américaine, le destin des deux vérités n'est pas identique. La solidité de la première, difficile à falsifier, la protège. La seconde, en revanche, possède un caractère relatif qui explique sa fragilité. Comme le souligne Jean-François Fogel, « c'est une vérité politique dans son essence même car elle se fonde sur l'interaction entre plusieurs personnes pour établir des faits ». Pour Hannah Arendt, la vérité factuelle était une proie facile pour un pouvoir désireux de s'en débarrasser ; « les événements, les faits sont plus fragiles que les axiomes, les découvertes et les théories produits par l'esprit humain ».

La multiplicité des récits permise par la technologie ne s'est pas limitée aux événements. En ligne et en réseau, il existe plusieurs versions de la même nouvelle, plusieurs versions d'un même effet scientifique, plusieurs versions d'un même épisode historique. Fausses nouvelles, fausse science, fausse histoire, sur les réseaux sociaux, participent à cette boule à facettes narrative.

L'époque convoque le souvenir du film d'Akira Kurosawa, *Rashomon*. Il mettait en scène quatre personnages en quête de confiance, chacun livrant un témoignage « véridique » sur un crime venant d'être commis. Le bandit, l'épouse, le samouraï, le bûcheron exposaient tour à tour une vérité qui n'avait rien de commun avec celle des autres. Le choc des récits finissait par faire douter de la réalité du crime lui-même.

La technique de l'addition de narrateurs contradictoires était naturellement bien plus ancienne que le film, William Faulkner l'ayant par exemple utilisée dans *Le Bruit et la Fureur*, mais le *Rashomon effect* est l'expression qui qualifie désormais la polyphonie numérique et l'incertitude globale dans laquelle elle finit par plonger la sphère publique. Il n'existe plus de récit unique possible. Et dès lors, une version unique des faits devient illusoire. L'expression célèbre du sociologue et homme politique Daniel Patrick Moynihan, utilisée dans les écoles de journalisme, qui postule que « tout le monde a droit à sa propre opinion mais pas à ses propres faits », semble désormais teintée d'un inexorable regret.

Trouver un coupable revient à démêler un écheveau inextricable de causes sociales, technologiques, politiques et économiques. Dans son essai remarqué *The Death of Truth*, la mort de la vérité, la critique littéraire américaine Michiko Kakutani souligne le lien entre la perte de confiance généralisée dans les institutions et la perte de confiance dans les récits qu'elles produisent, lien qui se déploie comme un cercle vicieux, une défiance nourrissant l'autre.

Son explication n'échappe pas à la tentation du facteur explicatif unique. Pour Kakutani, la French Theory et sa déconstruction des récits a préparé les esprits au relativisme généralisé, en remettant en cause l'existence d'une réalité objective indépendante de la perception humaine, elle-même altérée par les appartenances culturelles, sociales et de genre. Sans doute est-ce économiquement plus simple et technologiquement plus compliqué.

L'économie du doute

L'économie de l'attention a permis de démocratiser l'économie du doute. En la rendant techniquement accessible à tous, et en lui conférant un modèle économique bien plus rentable et plus généralisable que l'économie de la vérité. Le « business » du doute, autrefois lié à d'autres activités économiques, s'est autonomisé grâce aux plates-formes, jusqu'à devenir une activité en elle-même, facile d'accès et de profitabilité immédiate.

Dans un livre de 1962 qui a fait date, *The Image*, l'universitaire et bibliothécaire Daniel Boorstin (il dirigea la Bibliothèque du Congrès pendant près de quinze ans) évoquait les conséquences d'un monde inondé par les « pseudo-événements » fabriqués par l'industrie du spectacle, du divertissement et des médias. On doit à Boorstin l'expression définissant une célébrité comme « une personne célèbre à cause de sa célébrité ».

Le précurseur en la matière fut Phineas Taylor Barnum, l'inventeur du cirque moderne qui, stupéfait, racontait que sa principale découverte, « ce n'est pas à quel point il est facile de tromper le public, mais à quel point le public aime être trompé, pour autant qu'il soit diverti ». Le musée new-yorkais de l'empereur du cirque est resté dans les mémoires pour ses monstres et autres curiosités à base de canulars, telle la sirène empaillée, en fait un simple singe auquel on avait rajouté une queue de poisson.

L'arrivée des médias de masse, et surtout de la télévision, contribua à élargir cette conception du spectacle fondé sur la tromperie. À mesure que les images remplaçaient l'exposition des idées, l'idée de crédibilité remplaçait celle de vérité. Et naturellement, ce glissement ne se limita pas au « show business ».

La série télévisée *Mad Men* évoque de façon assez précise la façon dont l'industrie du tabac, dans les années 1960, dut faire face aux premières études médicales officielles démontrant de façon indiscutable la nocivité létale de la cigarette. Le contournement du problème par la mise en avant du plaisir et de la liberté en faisant silence sur la santé se révéla assez vite insuffisant. Aussi une autre stratégie fut-elle adoptée, qui allait faire école dans la quasi-totalité des industries dangereuses : le brouillage des messages par la production de pseudo-expertises alternatives. Des actions décrites par Naomi Oreskes et Erik Conway dans *Merchants of Doubt* (*Les Marchands de doute*), qui citent un mémorandum interne au syndicat patronal de l'industrie du tabac datant de 1969 : « Notre produit, c'est désormais le doute. Car le doute, c'est la meilleure façon de fragiliser les idées qui existent dans la tête de nos consommateurs. » L'économie du doute vise à produire de la vraisemblance pour remplacer la vérité, et à donner à des idées « marginales » plus de poids qu'elles n'en ont en réalité.

Internet a supprimé les barrières à l'entrée en matière de production de doute. Chacun peut agir et devenir, en puissance, une sorte d'industrie du tabac. Les millions de dollars ne sont plus nécessaires. Ce qui ne signifie pas qu'ils n'ont plus d'importance. Car l'économie de l'attention a renforcé la puissance de l'économie du doute. Elle ne l'a pas créée, mais elle en a fait un fondement de son incroyable prospérité. Pour trois raisons principales.

La première est une question de volume. Il est beaucoup plus facile et beaucoup moins cher de produire de la vraisemblance que de la vérité. Cette dernière demande un travail long et rigoureux, une démarche de mise à l'épreuve, alors que la vraisemblance repose sur la simple capacité de créer un *emotional triggering*, un déclencheur émotionnel. L'économie de l'attention se nourrit d'un nombre illimité de signes, laissant aux algorithmes le soin de filtrer selon la nature de l'utilisateur. L'encombrement, loin de constituer un obstacle financier, devient un atout car il crée du support publicitaire possible, ce que les professionnels de la publicité appellent un inventaire.

La deuxième raison tient à l'attractivité. Le doute questionne, fait réagir, provoque un choc émotionnel, qui pousse plus à l'action numérique qu'à une réflexion posée. Le contenu à l'origine du choc émotionnel possède un potentiel viral important : il sera partagé, commenté, recopié. Son bruit numérique (le nombre de likes, de shares, etc.) en fait sa valeur économique dans un modèle fondé sur la publicité.

La troisième raison tient à l'indiscrimination des émetteurs choisis par la plupart des plates-formes, et avant tout par les principaux réseaux sociaux que sont Facebook, YouTube et Twitter. La reprise du discours des libertaires numériques, qui voulaient connecter les individus dans une stricte égalité, accordant une voix égale à chacun, a servi à masquer l'inégalité de traitement qui vient avec le modèle publicitaire de l'économie de l'attention. En permettant à tout contenu « sponsorisé », c'est-à-dire payé, d'être plus vu, quel que soit son émetteur (individu, société commerciale, pouvoir politique ou groupes de pression divers) ou sa nature (article sérieux, divertissement, propagande éhontée ou simple canular), les plates-formes ont permis au doute fabriqué par les pouvoirs économiques et politiques de prospérer sur leur réseau, protégé au nom de la liberté individuelle et d'une interprétation pour le moins maximaliste, aux États-Unis, du premier amendement de la Constitution américaine. Tel un hypermarché qui toucherait une prime à chaque fois qu'il vend une marchandise avariée, sans en subir de conséquence au niveau de ses clients.

Ces trois facteurs ne sont pas d'origine technologique, mais de nature économique. Ils sont le pur produit non de la révolution numérique, mais de la confiscation de celle-ci par le nouveau capitalisme de l'économie de l'attention. Un modèle économique qui a transformé une agora possible en un kaléidoscope de croyances en guerre les unes contre les autres, pour le plus grand profit de ces marchands d'armes que sont les marchands d'attention.

L'empire de la croyance

Car la foire aux vanités est une foire aux croyances. La pop culture télévisuelle l'avait d'une certaine façon annoncée par une série contemporaine de la création d'Internet, mais achevée avant l'éclosion de la société numérique. Les 202 épisodes de *X-Files*, *Aux frontières du réel*, diffusés entre 1993 et 2002, mettaient aux prises deux agents spéciaux, les agents Mulder et Scully, dont les enquêtes approchaient ce qui ressemblait à un complot général et tout-puissant, mêlant en une sorte de synthèse parfaite toutes les légendes urbaines pré-numériques : enlèvements extraterrestres, et « Deep State » du gouvernement, des militaires et des services secrets nord-américains associés dans la manipulation. L'un y croyait (Mulder), l'autre pas (Scully). « La vérité est ailleurs », disait le sous-titre de la série en français, qui jouait avec tous les codes du complotisme. Charge aux agents de déchirer le voile cachant une vérité détenue par un nombre restreint de personnes, et protégée en revanche par un appareil d'État parfaitement huilé. « On nous cache tout, on nous dit rien. » Ce n'était, finalement, que l'écho lointain de la quête de David Vincent, des *Envahisseurs*, qui « devait convaincre un monde incrédule que le cauchemar avait déjà commencé ». Tout ceci s'inscrivait dans un schéma élaboré il y a plus de deux mille ans : la vérité a besoin d'être révélée par des prophètes, quand bien même ceux-ci seraient agents secrets. La connexion permanente a tout bouleversé : l'idée d'une vérité à atteindre comme un graal s'est effondrée. Ou plus exactement, chaque seconde de connexion engendre une vérité à dévoiler.

Ce n'est pas en proclamant : « la vérité est ailleurs » que les *X-Files* et leur *showrunner* Chris Carter eurent raison avant tout le monde, mais plutôt en affichant sur un poster présent dans le bureau de Mulder, et qui représentait une soucoupe volante : *I want to believe*, « je veux croire ». Mulder, seulement, n'est plus seul. Tout le monde, désormais, veut croire, et le réseau charrie à chaque seconde les croyances de chacun qui essaient de s'imposer à tous en détruisant celles des autres. Le discrédit général a remplacé le complot unique, et ce sont des chapelles multiples qui s'entrechoquent avec violence. Notre espace conversationnel est désormais constitué d'une polyphonie absurde et violente que nous subissons tout en la nourrissant avec délectation. Paradoxalement, Mulder, l'homme qui veut croire au complot contre toutes les évidences, est devenu celui qu'il faut affronter.

L'univers numérique évoque le dialogue du Christ et de saint Thomas. Il ne s'agit plus, comme dans le vieux monde analogique, de voir pour croire, mais désormais, de croire pour voir. Le réseau donne la réponse, et permet à la croyance de chacun de trouver une trace visible de cette foi qui agit au mieux comme une preuve, au pire comme une révélation.

Internet et sa structure de relations liquides permettent tous les rapprochements possibles, notamment par la mise en perspective de corrélations étranges qu'il est ensuite tentant de considérer comme des liens de causalité. Le site Spurious Correlations ainsi que les Décodeurs du journal *Le Monde* ont élaboré des « générateurs aléatoires de comparaisons absurdes », de petits algorithmes mettant en parallèle des événements indépendants les uns des autres, l'un sérieux, l'autre souvent loufoque, jouant sur les échelles graphiques et les différentes notions statistiques pour que l'œil et le cerveau établissent un rapprochement immédiat. Un des plus grands succès des Spurious Correlations montre ainsi le parallélisme absolu, année après année, entre le nombre de noyés dans les piscines aux États-Unis et le nombre de films dans lesquels joue l'acteur Nicolas Cage (devenu un *meme* de légende, une star d'Internet à son corps défendant). Statistiquement, c'est impeccable. L'indice de corrélation est de 66 % (r = 0,666004). « Comme par hasard », ajouteraient les tenants du complot…

Les biais cognitifs forment une composante intrinsèque d'un réseau faussement égalitaire. Sur Internet, tout le monde peut s'exprimer, mais tous ne le font pas de la même manière. L'ensemble de l'information est certes présente de façon horizontale, mais chaque requête d'un utilisateur la réorganise de façon verticale. Et cette réorganisation est opérée par un tout petit nombre d'acteurs, moteur de recherche, réseau social, ou agrégateur.

Les trois principaux biais cognitifs ont été distingués par le sociologue Gérald Bronner, dans *La Démocratie des crédules*. Le biais de confirmation est permis par les moteurs de recherche : dans l'immensité du contenu disponible, on finit toujours par trouver ce que l'on cherche, toute requête finit toujours par être satisfaite. Écrire « la terre est-elle plate » dans le rectangle blanc de Google fait automatiquement remonter les thèses « platistes » (ceux qui croient, justement, que la terre est plate) au premier rang dans les résultats de la recherche, quand bien même le nombre de ceux qui croient en cette « thèse » est infime. Le biais de représentativité se nourrit des moteurs de recherche et des réseaux sociaux, dont les algorithmes ne travaillent que sur des objets uniques. Ce biais résulte de la mise en avant d'un exemple pour aborder une problématique générale, et il amène à faire de cet exemple une vérité universelle. Le raisonnement scientifique est alors inversé. Enfin, le biais de simple exposition nourrit les réseaux sociaux : il postule que la répétition finit par octroyer une présence du contenu répété dans l'espace mental de ceux qui y sont exposés. Il nous pousse à accorder plus d'importance à ce que nous voyons cent fois qu'à ce que nous ne voyons qu'une seule fois. Un univers où chacun peut s'exprimer de façon identique mais n'exerce pas cette possibilité de façon égale produit une asymétrie en faveur des plus déterminés et des plus actifs. Et les croisés de toute croyance font partie de ces groupes. Twitter démontre chaque jour qu'Internet « est une démocratie où certains votent une fois et d'autres mille ».

Les biais cognitifs encouragent et nourrissent l'empire des croyances, sur lequel règnent nos émotions et nos emportements. La montée aux extrêmes des échanges et la « polarisation » de l'espace numérique entre convaincus et irréconciliables en sont une des conséquences logiques. Le réseau encourage la réponse émotionnelle plutôt que rationnelle quand quelque chose d'important est évoqué pour l'utilisateur, et la dynamique de groupe accentue l'effet. Le juriste et philosophe Cass Sunstein explique et détaille, dans *Going to Extremes*, à quel point le désir d'être approuvé par ses pairs pousse le contributeur à accentuer le côté extrême de ce qu'il affirme et poste sur les réseaux, son outrance agissant alors comme une sorte de sauf-conduit dans le groupe déjà structuré.

Deux effets jouent à plein, que la culture numérique a nommés en les associant à des noms propres.

L'effet Dunning-Kruger, énoncé par David Dunning et Justin Kruger dans un article paru en 1999 dans le *Journal of Personality and Social Psychology*, fait un lien entre le degré d'ignorance d'un individu et sa confiance en soi. La courbe qui en propose la traduction visuelle montre une cloche aux pentes ascendantes et descendantes immédiates et prononcées, suivies d'une ascension reprenant de façon plus modérée. La première étape, qui associe ignorance quasi totale sur un sujet et confiance absolue en soi, culmine sur un sommet de cloche baptisé « Mr. Stupid Peak », le sommet M. Idiot. Elle est suivie du bas de la courbe, surnommée

« vallée du désespoir », moment où le début de l'acquisition du savoir laisse entrevoir le degré d'ignorance sur un sujet et inhibe toute expression, avant que le développement de l'expertise ne produise un retour de la confiance en soi le long de « la courbe des lumières » (*slope of enlightenment*), confiance qui reste de toutes les façons inférieure à celle de l'ignorant. Moins on sait, plus on affirme, et plus on affirme, plus on est visible sur la structure asymétrique des réseaux numériques.

La loi de Poe n'a rien de scientifique. À l'instar de nombreuses « lois » numériques, elle est née d'un commentaire qui se voulait une simple constatation. Avant d'être reprise et élevée au rang de sagesse par les utilisateurs du Web. C'est en 2005 que Nathan Poe poste un commentaire sur un forum chrétien, alors qu'il constate l'impossibilité d'un débat autour des thèses créationnistes, et qu'il a pris une plaisanterie d'un membre du forum pour une affirmation sérieuse : « Sans un smiley qui fasse un clin d'œil, ou signe visible et incontestable d'humour, il est parfaitement impossible de parodier un créationniste sans que quelqu'un, quelque part, prenne cette parodie pour une déclaration sérieuse et originale. » Poe actualise involontairement Roland Barthes à l'ère numérique. La sémiologie de la signification explique les différences d'interprétation par l'importance du contexte de réception. Et sur les réseaux, il y a autant de contextes que d'utilisateurs. Les réseaux sociaux proposent une *timeline*, un *newsfeed*, un environnement graphique structuré par les algorithmes nourris de données comportementales et identitaires. À chacun sa version de Facebook, de Twitter, de YouTube. Il n'en existe pas deux comparables. Cette infinité de contextes différents qui recycle et se partage des contenus similaires explique qu'une parodie puisse être partagée en étant prise au sérieux, et inversement. Ce qui renforce la montée des colères et indignations possibles face à des outrances qui n'en sont peut-être pas.

Les biais cognitifs et les effets de réseau dessinent un espace conversationnel et de partage où la croyance l'emporte sur la vérité, l'émotion sur le recul, l'instinct sur la raison, la passion sur le savoir, l'outrance sur la pondération. Les algorithmes de recommandation connectent les complotistes entre eux, et les logiques commerciales donnent une prime à l'outrance. L'économie du doute a créé un empire des croyances, devenu le terrain des complots.

Complots

Photos et complots tournent sur les réseaux, reliés par des algorithmes dont l'intelligence artificielle tient de la bêtise répétitive. Dans les matchs de football américain, de basket, dans les rassemblements, les commémorations, des panneaux sont brandis. Avec pour toute mention une simple lettre majuscule, la lettre « Q ». Les porteurs et leur pancarte sont photographiés, et leur image est partagée sur les réseaux pour venir nourrir les *newsfeeds* et *timelines* de ceux pour qui cela signifie quelque chose. Eux, savent. Les autres ignorent, et ignorent même qu'ils ignorent : ils n'ont aucune chance de recevoir ces photos dans leur réalité numérique. Les origines de cette lettre « Q » brandie par des supporters extrémistes du président américain Donald Trump sont assez troubles. Elles semblent remonter à l'automne 2017, avec l'apparition d'un compte appelé QAnon sur le site 4chan, qui héberge volontiers des adeptes du complot et autres paranoïaques. QAnon évoque le personnage de l'informateur des *X-Files* (« Deep Throat », référence à la taupe du scandale du Watergate, elle-même référence au film pornographique de l'époque) en se présentant comme détenteur de l'habilitation secret défense (« Q » sur les badges officiels). Il engage la conversation numérique par une suite de questions qui obéissent toutes à la rhétorique complotiste (« est-ce un hasard si… » ; « pourquoi ne parle-t-on jamais de… ») et qui évoquent le président américain. La suite est un déluge d'interprétations où tout fait signe et tout fait sens. Le Q étant la dix-septième lettre de l'alphabet, chacune des énonciations par Donald Trump du chiffre 17 est perçue comme un signal de soutien et de ralliement, dans l'attente de « la tempête », moment où le président américain se débarrassera du « Deep State », les agences de sécurité et autres administrations fédérales qui sont censées l'empêcher de gouverner.

Le « Q » est un complot dans un océan entier de complots politiques, religieux, sociaux, technologiques, historiques, sociaux, culturels... Mais la nature incertaine de son origine lui confère une dimension plus significative, qui évoque Borges ou Eco. Car il semble bien que « Q » ne soit au départ qu'une plaisanterie mise en ligne par des opposants de Donald Trump visant à se moquer de la paranoïa des partisans du président américain, et qui ait fini par devenir une sorte de réalité pour ceux dont elle voulait faire rire.

Dans sa nouvelle *Tlön, Uqbar, Orbis Tertius*, Jorge Luis Borges narre l'invention d'une planète imaginaire (Tlön) par une société secrète. Mathématiciens, astronomes, biologistes, religieux, poètes et ingénieurs concourent au récit de la planète fictive, qui, peu à peu, échappe à ses créateurs et s'impose. Et le passé inventé remplace l'histoire advenue, et la mémoire des hommes n'est plus qu'une fiction.

Le principe sera repris par Umberto Eco, à l'heure de l'informatique et des liens aléatoires qu'elle permet. *Le Pendule de Foucault* raconte le basculement de trois passionnés d'occultisme. Imaginant, pour jouer, à base d'érudition et de joute intellectuelle, un gigantesque et séculaire complot visant à la domination mondiale, ils finissent par croire à leur invention et à être confrontés à sa matérialisation.

Le récit éclaire notre époque numérique, où la croyance de chacun finit par structurer sa propre réalité en devenant une vérité qu'il imagine partagée.

CHAPITRE 10

Le combat inégal de l'information

C'est une des scènes les plus célèbres du cinéma hollywoodien. Elle conclut un long récit sous forme de flash-back. Le sénateur Ransom Stoddard, joué par James Stewart, est venu rendre un hommage posthume à son ami Tom Doniphon (John Wayne), un cow-boy solitaire discret et taiseux. Il revient sur son précédent passage dans la petite ville de Shinbone. Vingt-cinq années auparavant, jeune avocat épris de justice, il s'était opposé à Liberty Valance (Lee Marvin), l'homme qui terrorisait la petite ville de l'Ouest américain. Les deux hommes s'étaient affrontés dans un duel inégal, Stoddard ne sachant pas manier une arme. À la surprise générale, il avait réussi à tuer Valance, ce qui l'avait immédiatement transformé en héros et propulsé sur la scène politique. Un quart de siècle plus tard, il rétablit la vérité : c'est Doniphon, pour le défendre, qui a abattu Valance. La confession achevée, le directeur du *Shinbone Star* qui la recueillait se lève, et déchire ses notes. Il déclame une des phrases les plus célèbres jamais prononcée sur le journalisme : « *This is the West. When the legend becomes fact, print the legend.* » Ici, c'est l'Ouest, quand la légende devient le fait, imprimez la légende.

John Ford réalise *L'Homme qui tua Liberty Valance* alors qu'il a 68 ans, et il s'agit pour lui de faire ce qu'il n'a cessé de faire dans toute sa filmographie : raconter l'Amérique, son histoire, ses errements. Il rappelle avec ce film que l'Amérique s'est construite par la victoire de la force raisonnée (Doniphon) sur la force brutale (Valance), alors qu'elle croit l'avoir été par le droit (Stoddard). Mais cette croyance, quand bien même elle repose sur une fiction, est essentielle pour sa modernité, car c'est elle qui a permis le passage de la conquête à la société, et de la violence au droit. Et c'est la presse, aussi, qui a rendu possible ce passage.

Pour les journalistes du monde entier, le message est également fondateur. Parce qu'il fait de la presse le vecteur principal d'un récit qui, versé dans l'espace public, le structure et concourt à la construction du pays et de sa culture collective. Le *Shinbone Star* participe à l'établissement d'une société régie par le droit.

Regarder cette scène à l'ère numérique fait immanquablement naître la mélancolie associée à l'évocation de mondes révolus. La narration unique a disparu.

La technologie et la connexion permettent à tous, institutions comme individus, de s'exprimer, de réagir et de communiquer. Elles brouillent l'identité des participants et détruisent les catégories de récits. La multiplicité des acteurs n'a pas seulement produit une assourdissante cacophonie. Elle a fait naître de véritables guerres narratives, dans lesquelles il semble impossible de distinguer les combattants. Faits, opinions, erreurs, enquêtes rigoureuses, mensonges avérés, recensions honnêtes, témoignages, doutes, certitudes, canulars, analyses précises, calomnies, communiqués, engagements, tous s'affrontent en ligne sur un champ de bataille malaxé par les algorithmes, et redonnent vie à la sentence de Jonathan Swift, « le mensonge et le faux volent, la vérité rampe loin derrière ».

Sur les réseaux, la presse se fait déborder de façon permanente. En nombre comme en intensité de messages, elle ne peut lutter. Elle n'impose ni son tempo ni sa tonalité. Ses pronostics électoraux sont déjoués, ses engagements dénoncés, ses représentants vilipendés. Défaite en ligne, elle semble l'être également dans l'ensemble de l'espace public : la défiance à son encontre est devenue immense. Elle est une institution menacée, dont le métier est remis en cause. « L'expertise est désormais considérée comme la forme la plus pernicieuse et la plus aboutie de la domination », selon les mots de l'historien Marc Lazar.

La ligne et le cercle

Les médias d'information se sont organisés, depuis la fin du XIXe siècle, sur un modèle linéaire (production – distribution ou diffusion – vers le public) né de contraintes techniques et financières. Diffuser un message à un grand nombre de personnes requérait des ressources rares. Pour la presse, il fallait disposer des capacités industrielles qui permettent d'imprimer et de distribuer, pour les radios et télévisions, avoir accès aux fréquences hertziennes, peu nombreuses, et souvent propriété publique. Le nombre d'organisations capables de produire, publier et diffuser de l'information était donc limité. Mais c'est la pratique professionnelle du journalisme qui a permis à la presse de passer du statut technique d'intermédiaire à celui, politique, de corps intermédiaire, et de transformer son public en citoyens.

Cette pratique associe deux notions complémentaires.

La théorie du *gatekeeping*, le garde-barrière, énoncée par Kurt Lewin en 1943 et complétée par David Manning White en 1950, transforme une réalité empirique en mission. Le petit nombre de professionnels qui informe le grand nombre de citoyens détient la clé du choix, de la nature et du contenu des messages. Ce rôle, pour être reconnu comme légitime et ne pas être l'objet de suspicion, doit s'exercer sur la base de critères de sélection explicables, de façon responsable, indépendante et désintéressée. Cette nécessité est à l'origine de la quête d'autonomie des rédactions dans les différents médias.

L'*agenda setting*, la capacité de dicter l'agenda, complète les analyses du sociologue français Gabriel Tarde, qui, dès la fin du XIXe siècle, évoquait l'aptitude des médias à organiser la conversation publique. Non pas en énonçant ce qu'il faut penser sur un sujet, mais en promouvant les sujets sur lesquels il faut penser. Ce pouvoir implique, pour l'équilibre démocratique du système, un devoir : que l'agenda mis en avant par les médias d'information interagisse avec celui qui sourd au sein de la société, et qu'ils se nourrissent l'un de l'autre. L'indice mis au point en 1968 par Max McCombs et Donald Shaw mesure ainsi la correspondance entre les sujets traités par les journalistes et ceux qui préoccupent les citoyens. En dessous d'un certain seuil apparaît le risque de perte de contact entre les médias d'information et leur public, de méfiance de la part de ce dernier et de fossilisation des premiers.

Quinze années après l'invention des réseaux sociaux, la légitimité est attaquée et la défiance s'est installée. Tout étant disponible en ligne, la presse n'est plus perçue comme celle qui publie, mais comme celle qui cache. Elle est accusée de le faire en obéissant à des critères de choix qui ne seraient plus désintéressés et indépendants, mais dictés par les pouvoirs politiques ou économiques. Le *gatekeeping* s'assimilerait à une censure déguisée. Quant à l'*agenda setting*, c'est encore pire : les journalistes reproduiraient dans les sujets ce qui les préoccupe comme caste sociale homogène dans ses convictions, ses pratiques culturelles et ses lieux de vie. La presse avait mis un certain temps à accepter la perte de son monopole, avant de jouer pleinement le jeu de la conversation horizontale. Elle n'imaginait pas qu'elle affronterait la remise en cause de son existence.

Rien ne l'y avait préparée. Ayant participé aux premières années de la presse en ligne, je peux témoigner de la part d'idéalisme qui y régnait. L'inquiétude économique quant à la rentabilité future existait, certes, et à juste titre. Mais elle ne suffisait pas à masquer le vertige pionnier face à la conquête d'une audience potentiellement présente dans le monde entier, et d'un temps qui n'était plus scandé par le rythme quotidien des éditions. Et, surtout, elle n'obérait en rien le souhait de voir mille sites internet d'information se créer (on disait « pure players » à l'époque), pour établir un nouvel environnement varié, à l'origine de nouveaux dialogues qui profiteraient à tous. La progression de l'audience était constante, tout nouvel acteur semblait faire croître ceux qui s'étaient déjà installés. De nouvelles façons d'écrire, de nouveaux langages pour raconter, de nouvelles formes mêlant image, son, écriture, graphiques s'ouvraient à la pratique de l'information. Pouvoir, enfin, dialoguer avec « l'audience », ceux qui, en ligne, réagissaient, commentaient, complétaient, précisaient, tenaient leur blog, se présentaient comme « journalistes citoyens », charriait la promesse d'une nouvelle agora, plus horizontale. Le pacte renouvelé entre le journalisme et le public passait par la perte d'efficacité du *gatekeeping*, l'acceptation d'une responsabilité qui s'exerce par un dialogue public, et la certitude que l'intelligence collective s'exprimant en réseau produirait le nouvel *agenda setting*. La révolution numérique, pour le journalisme, c'était la promesse d'une conversation universelle et citoyenne dans laquelle la presse jouerait un rôle central et reconnu en fournissant les faits, leur contexte et leur explication.

Cet idéalisme n'était pas que technophile. Il faisait écho à une croyance plus ancienne, celle du « commerce libre des idées ». Le *free trade of ideas*, d'abord évoqué comme métaphore par le philosophe John Milton (*Areopagitica*, 1644), est énoncé par John Stuart Mill au milieu du XIXe siècle (*De la liberté*, 1859), alors que la presse se développe aux États-Unis. L'inspiration économique est évidente : la libre concurrence entre les idées permet, in fine, à la vérité de s'affiner et de s'affirmer. La liberté absolue d'expression est une garantie d'efficacité du système, puisqu'elle permet de ne pas entraver le mécanisme de compétition entre ce qui est faux et ce qui est vrai. La presse, si elle exerce correctement son métier, produit, sur le marché des idées, une information exacte et rigoureuse, qui s'impose naturellement aux mensonges et idées fausses, et c'est en cela qu'elle est « au service du public », selon l'expression américaine. Pour Thomas Jefferson : « Il n'y a aucun danger à tolérer des erreurs et des opinions fausses quand il est permis à la raison de les combattre. » Le commerce libre des idées a été reconnu par les cours de justice américaines en 1953.

Le marché des idées et de l'information numérique s'est révélé très différent de ce qui avait été imaginé. La presse pensait organiser la conversation ; c'est la conversation qui, désormais, la désorganise. Vingt ans plus tard, tout a changé.

La forme du nouveau modèle de l'information numérique avait pourtant été anticipée. De linéaire, il devenait circulaire. Unidirectionnel, il était désormais multidirectionnel. Les organisations journalistiques, les citoyens et les interfaces de distribution forment désormais un cercle aux relations complexes. Les citoyens peuvent être en relation directe avec les journalistes et inversement, mais la relation peut aussi passer par les outils de distribution, par la recherche (Google par exemple), la recommandation (Facebook), ou la proposition de découverte (Twitter). Ces outils contextualisent ce que les citoyens peuvent voir, mais réagissent aussi aux comportements de ces derniers, par des algorithmes qui intègrent dans leurs critères la performance (les histoires les plus regardées) et la préférence (celles qui sont les plus appréciées). Enfin, le seul lien unidirectionnel met en relation les médias d'information et les interfaces de distribution, et place, de fait, les premiers au mieux dans une position de fournisseurs, au pire dans une situation de dépendance par rapport aux derniers.

L'universitaire Ethan Zuckerman, directeur du Center for Civic Media au MIT, a distingué les « mauvais acteurs » (*bad actors*) qui étaient entrés dans le système, de façon inattendue, pour en pervertir le système et le noyer sous les mauvais messages. Il a énuméré quatre familles. D'abord, les agents de désinformation, puissances étrangères, groupes d'intérêt économique ou politique. Ensuite, les annonceurs « sombres » (*dark ads*) qui visent à discréditer la concurrence ou tromper le consommateur. Troisième famille, les complotistes et autres illuminés, qui déversent leurs croyances. La dernière catégorie, enfin, n'est pas humaine, puisqu'elle regroupe les robots qui adoptent une identité d'utilisateur pour fausser la conversation.

Les réseaux agissent comme le tambour d'une machine à laver qui mélange les productions de ces quatre familles aux autres messages. L'information professionnelle et vérifiée ne surnage pas dans ce tambour, et elle peine encore plus à s'imposer aux fausses nouvelles. La menace d'une société « post-information » (*post-news*) pointe derrière l'époque de la « post-vérité » (*post-truth*). Le commerce des idées n'a pas fonctionné comme prévu. L'agora espérée est devenue une arena chaque jour plus violente. Au lieu d'un ordre en construction permanente, il a produit un chaos sans fin.

La présence de « mauvais acteurs » n'explique cependant pas l'ensemble du déséquilibre. Orienter toutes les actions correctrices à les expulser du système est à la fois utile, dangereux, et insuffisant.

Supprimer les faux comptes, interdire les robots, sont des mesures technologiques à la portée des plates-formes, et elles commencent à être mises en œuvre. Facebook revendiquait ainsi un million de comptes fermés par jour en janvier 2019, ce qui laisse entrevoir le nombre de faux comptes qui pouvaient exister sur le réseau lorsque rien n'était entrepris pour en contrecarrer l'influence. Ces actions sont utiles, comme l'est la pression politique et citoyenne visant à obtenir une identification des donneurs d'ordre des publicités qui nourrissent le réseau.

Les politiques de validation ou de retrait de contenu sont plus dangereuses car elles concernent les contenus et ne se limitent plus aux « acteurs ». Décidés par une autorité administrative, un algorithme, ou même les équipes d'une plate-forme, ces retraits pourraient s'assimiler à une censure, d'autant qu'ils sont techniquement souvent impossibles à réaliser : il est illusoire de penser faire le tri de façon automatique entre ce qui est vrai et ce qui est démontré à un instant donné, entre une opinion de mauvaise foi et une tentative de manipulation.

Enfin, se concentrer sur les mauvais acteurs et les mauvais messages est insuffisant parce que cela ne remet pas en cause la structure même des plates-formes. Si le système d'information numérique proposé par les plates-formes sociales est déséquilibré, ce n'est évidemment pas parce que toutes les opinions sont représentées. Que le faux voisine avec le vrai n'est qu'une explication très incomplète. L'organisation de tous ces messages joue un rôle déterminant. Le chaos éditorial masque, en fait, un ordre économique.

Le nouvel ordre économique de l'information

Il n'y a pas de modèle économique de l'information qui soit indépendant de celui des médias.

L'historien américain Paul Starr a montré dans ses travaux que celui des médias de masse, né à la jonction des XIXe et XXe siècles, tenait d'une suite de hasards, dont on peut craindre aujourd'hui qu'ils aient constitué une sorte de parenthèse enchantée.

La valeur de l'information est supérieure à l'intérêt immédiat et personnel qu'elle suscite. Elle produit ce que les économistes appellent des externalités, c'est-à-dire des effets qui vont au-delà de sa consommation immédiate. Ces externalités sont d'ordre culturel, social et politique. Économiquement, la transformation du lecteur en citoyen a une valeur supérieure à l'attention que celui-ci porte à l'information. Le niveau de paiement nécessaire pour obtenir une information de qualité dépasse, de loin, l'équilibre économique de l'activité journalistique. Faire payer le « consommateur d'information » pour l'intégralité de son coût de production, c'est risquer de réserver l'accès à l'information à une minorité, et provoquer des externalités négatives : dégradation du débat public, impossibilité d'avoir un système démocratique stable non pas à cause de la différence d'opinions, mais à cause de la différence du niveau d'information.

Universalité de l'accès, rentabilité économique, qualité et diversité de l'information produite forment les trois côtés d'un triangle difficilement équilatéral. La presse écrite, en monnayant son accès au public par la publicité, avait pu, au temps de sa diffusion massive, modérer son prix de vente pour le laisser au niveau des biens de première nécessité et résoudre ainsi l'équation entre qualité et accessibilité. De 1875 au premier choc pétrolier de 1973, le prix d'un quotidien était ainsi égal, en France, au prix de la miche de pain puis de la baguette.

La radio et la télévision ont instauré un autre modèle, en vendant du temps d'exposition, et en créant les premiers fondements de l'économie de l'attention par la recherche de l'audience. Or, tous les messages n'ont pas, dans ce domaine, la même efficacité, ils n'ont donc pas la même rentabilité économique lorsque le modèle n'est pas corrigé. La capacité de rassembler un très grand nombre de personnes confère une prime d'efficacité. L'impact émotionnel, la surprise, la colère, le choc, la révolte, le scandale, le rire, également. Appliquée à l'information, la recherche de l'attention à tout prix hiérarchise inexorablement les messages et tend à privilégier les « clashs d'opinion » et le sensationnalisme sur les autres formats d'information, comme les enquêtes et les reportages. La volonté de limiter l'impact de cette économie de l'audience sur l'information s'est traduite par l'édiction de règles, déontologiques, professionnelles, mais aussi en termes d'obligations, et de contrôle par des tiers. Et lorsque ces règles ont été levées ou amoindries, l'effet a été quasi immédiat. L'universitaire Yochai Benkler a ainsi démontré les conséquences de l'abandon, par la FCC (le Conseil supérieur de l'audiovisuel américain), de sa doctrine de « *fairness* » (juste équilibre) pour les radios et télévisions dans les années 1980. Cette modification réglementaire a produit une multiplication des émissions de radio complotistes et outrancières sur les grandes ondes. À la télévision, elle a conduit à la naissance de Fox News… Les fameuses « fake news » sont apparues à ce moment-là. L'économie de l'attention débridée avait déjà démontré ses conséquences sur la nature de l'information.

Le passage au numérique et aux réseaux sociaux a amplifié cette tendance de façon spectaculaire. Les plates-formes ne sont pas seulement des médias bâtis sans régulation aucune sur l'économie de l'attention, mais ce sont des médias où tous les messages sont soumis à cette économie-là. L'information est traitée comme les autres contenus, selon son efficacité économique, et cette efficacité est comparée avec celle des autres types de messages. L'information, pour se rendre audible, doit se mettre au niveau des autres catégories de contenus, notamment en termes émotionnels. « Coller » aux croyances, fantasmes, convictions, sentiments, de sa cible, afin d'avoir une plus grande chance d'être vue et partagée. Ce marché est déséquilibré : l'information « sérieuse » est intrinsèquement défavorisée.

Ainsi de l'algorithme de Facebook. Personne d'extérieur à la société ne le connaît en détail, mais les quatre facteurs qui le déterminent sont publics. La disponibilité, les signaux émis par chaque contenu, les réactions prévues et le score final composent le cocktail mathématique qui distribue et hiérarchise les messages pour chaque individu. L'élément prédictif est fondamentalement défini par l'attention attendue de la part de chaque utilisateur, et les signaux, de leur côté, accordent un poids déterminant aux partages, « likes » et autres actions de l'individu qui lira le message, vus comme des signaux « actifs », contrairement aux signaux « passifs » qui concernent la nature du contenu. La politique de *meaningful interactions* (les interactions qui ont du sens), énoncée début 2018 par le fondateur de Facebook Mark Zuckerberg, donne la priorité aux contenus qui « déclenchent les réactions et amorcent les conversations ». Privilégiant les liens personnels et les accords émotionnels, elle a fait de l'information professionnelle des contenus de second rang.

Les plates-formes numériques, qui refusaient absolument d'être considérées comme des médias, en ont récupéré deux fonctionnalités qu'elles ont fait sortir de leur rôle initial. Le *gatekeeping* s'est inversé : tout le monde peut entrer dans le système, mais l'utilisateur n'a pas accès à tout le monde de la même façon. Ceux qui sont le plus proches de lui entrent dans son système d'information plus facilement. Quant à l'*agenda setting*, il est désormais construit par les algorithmes, non pour la collectivité, mais pour chaque utilisateur en fonction de l'efficacité passionnelle du message, qui déclenchera une réaction de sa part et contribuera à l'animation du réseau. La proximité et les déclencheurs d'émotion de milliards d'utilisateurs augmentent l'attention cumulée sur la plate-forme, et donc, in fine, sa profitabilité économique.

Le déséquilibre favorisant l'outrance, l'extrême, le scandaleux, le groupusculaire, l'absurde n'est pas uniquement dû à la présence de mauvais acteurs. Il résulte du modèle d'affaires de ces acteurs numériques, qui profite et développe notre addiction vis-à-vis de nos emportements. C'est une question de structure, pas de conjoncture. Facebook est un espace médiatique en construction, qui bouleverse tout sur son passage, et qui pèche moins par sa composition que par son organisation. Débarrassé des robots, faux comptes et vrais manipulateurs extérieurs, il lui faudrait encore accepter de proposer un ordonnancement de son espace qui ne soit pas entièrement dépendant des mécanismes de réactions émotionnelles.

L'ensemble du débat public n'en sort pas indemne. Médias classiques et plates-formes sociales finissent par constituer deux espaces divergents, qui ne fonctionnent pas de la même façon. Les médias ont du mal à percevoir ce qui se passe sur les réseaux : il leur est impossible d'avoir une vision panoramique de ce qui n'est constitué que de micro-espaces personnalisés. Quant à l'espace des plates-formes sociales, il n'existe pas en tant que tel : chacun a sa propre version de Facebook, de YouTube ou de Twitter. Cela provoque l'incompréhension : aucun utilisateur ne retrouve un effet miroir fidèle dans les sujets traités par les médias.

L'étanchéité qui se développe entre les deux mondes, qui finissent par ne pas traiter des mêmes sujets, complète de façon mortifère la différence de nature : l'arena passionnelle et ouverte à tous des réseaux menace d'assécher l'agora raisonnée des médias journalistiques dans sa capacité à percevoir l'ensemble de ce qui se joue dans la société. Les deux univers n'ont plus la même représentation du monde.

CHAPITRE 11

Combattre et guérir

Il n'y a pourtant nulle malédiction, l'apocalypse numérique n'est pas amorcée.

L'époque relaie le récit de la domination absolue des plates-formes, particulièrement de Google et de Facebook. Il raconte une toute-puissance qui ne connaîtrait de limite ni dans le temps ni dans l'espace. Les GAFAM seraient capables, même involontairement, de changer les processus électoraux, de constituer de nouveaux empires économiques échappant à toute règle territoriale, et de s'imaginer en sociétés souveraines, dialoguant d'égal à égal avec les États, nations et organisations internationales.

Les recherches transhumanistes développées par Google ajoutent une dimension métaphysique à cette mosaïque de pouvoirs déjà implacable. Empreint de scientisme et d'individualisme forcené, le projet est porté par Ray Kurzweil, 70 ans, gourou spiritualiste, membre dans son enfance de l'église de l'Unité universaliste (*Unitarian Universalism*), un surdoué qui raconte avoir inventé son premier ordinateur à l'âge de 12 ans. La Singularity University (l'université de la « singularité ») qu'il dirige, au sein de Google, sert de poste de commande à ses rêves de démiurge. Les transhumanistes conjuguent la technologie numérique, les nanotechnologies, la biologie et les sciences cognitives (réunies dans l'acronyme NBIC) pour construire des « outils » qui permettront à ceux qui en disposeront d'échapper aux fatalités de la condition humaine. Chaque individu s'appartient intégralement, et il est donc libre de « s'augmenter » sans qu'aucune limite autre que scientifique puisse lui être opposée. La maladie, le vieillissement, voire la mort, sont des frontières franchissables et bientôt dépassées. Le thème charrie tous les fantasmes, de la « copie » du cerveau sur un disque dur d'ordinateur permettant la survie virtuelle jusqu'aux implants nanotechnologiques modifiant les capacités intellectuelles et biologiques, et semble annoncer la fin de l'espèce humaine.

Le récit transhumaniste est complété par les peurs nées du développement de l'intelligence artificielle (I.A.), et de son volet lié au *machine learning*, les machines qui apprennent. Derrière ce terme fantasmagorique se cache une réalité très prosaïque, puisqu'il désigne les algorithmes qui apprennent à effectuer une tâche « par eux-mêmes » grâce à la répétition quasi infinie d'une action : par exemple, reconnaître un chat après visionnage de millions de photos de chats, sans qu'il ait été nécessaire de définir, au préalable, les paramètres qui sont propres aux chats. Les applications sont encore limitées mais les transhumanistes l'annoncent : viendra un moment où les super-ordinateurs, mis en réseau, surclasseront l'humanité et prendront en charge l'organisation d'une nouvelle civilisation fondée sur l'intelligence des machines. Kurzweil appelle ce moment la « singularité », et il annonce son avènement pour 2045…

Transhumanisme et singularité, via l'intelligence artificielle, agissent comme les miroirs inversés d'une même vision : les hommes et femmes « augmentés » quittant l'humanité, il faut bien que les machines les remplacent.

La prophétie ne se limite plus aux gourous de la Silicon Valley, comme le montre un article crépusculaire de Henry Kissinger, 95 ans, publié par le magazine américain *The Atlantic* à l'été 2018. L'universitaire et politique américain rappelle que l'invention de l'imprimerie a permis de passer de l'âge de la religion à l'âge de la raison, inspiré par les philosophes des Lumières. Cet âge est révolu, car le numérique et l'intelligence artificielle font entrer l'humanité dans une nouvelle ère, que Henry Kissinger ne définit pas mais colore d'un pessimisme définitif. « Nous avons créé une technologie potentiellement dominatrice en quête de philosophie pour la guider », déplore-t-il, avant d'énoncer trois risques mortifères pour la civilisation des Lumières : des intelligences artificielles devenues autonomes, qui entreprendraient des actions aux résultats contraires à ceux attendus ; d'autres qui, dans leurs calculs, imposeraient leurs propres valeurs, contraires aux valeurs humaines (en mettant par exemple en relation la « valeur économique » d'une vie par rapport à la valeur du matériel dans le cadre de l'accident d'une voiture sans conducteur) ; d'autres, enfin, qui finiraient par développer des raisonnements dont la complexité serait inaccessible à l'esprit humain. Ces scénarios catastrophistes rappellent certains films hollywoodiens et semblent trop parfaits pour être vraisemblables. Peut-être finiront-ils par occuper nos inquiétudes futures. Mais ils ne constituent pas notre présent, et ils contribuent à nous en détourner.

L'intelligence artificielle est bien une révolution économique majeure, mais n'est pas encore l'instrument de la fin des temps. Elle menace les emplois à tâches répétitives, et modifie en profondeur l'ensemble des activités industrielles en démultipliant les capacités de calcul et le nombre de données traitées. Mais, en ce qui nous concerne, nous sommes chaque jour confrontés à l'I.A., et notre expérience nous en montre les limites. Combien de fois avons-nous eu l'impression d'être emprisonnés dans des boucles de situations absurdes alors que nous étions pilotés par les algorithmes ? Au point d'inspirer des plaisanteries sous forme de défis. S'est ainsi développé un courant d'utilisateurs s'amusant à induire en erreur les algorithmes de reconnaissance visuelle sur les réseaux sociaux pour en dénoncer la stupidité et la nocivité, et regretter qu'ils excluent ainsi des œuvres artistiques majeures des plates-formes fréquentées par des milliards d'individus. L'image de deux œufs à la coque dans des coquetiers en métal photographiés en utilisant un angle de vue approprié a été censurée pour pornographie : l'intelligence artificielle lui avait attribué les paramètres d'une photo pornographique de deux jambes nues écartées dévoilant un sexe féminin. De leur côté, les enceintes vocales tâtonnent, se trompent, déçoivent, et la réponse la plus fréquemment donnée par Google Home est « je suis désolée, je ne suis pas en mesure de répondre à votre question ». En janvier 2019, une chaîne hôtelière japonaise a dû fermer ses établissements gérés par des robots : de trop nombreux humains devaient en corriger les erreurs.

Le rythme de l'évolution des algorithmes ne s'apparente encore nullement à un emballement qui serait hors de contrôle. Avant de remplacer l'humanité, l'I.A. doit réussir à effectuer des tâches complexes et appréhender des problématiques à multiples dimensions. Et cette perspective semble encore éloignée. Quant aux réponses aux dilemmes moraux, elles sont le résultat de paramétrages faits par des humains, et, donc, de choix humains. La question posée en ce domaine concerne la délégation des choix aux entreprises qui créent les solutions d'intelligence artificielle et qui dictent leurs priorités morales, plutôt que celle de l'autonomie morale des machines. Il est un domaine, en revanche, où l'efficacité des algorithmes n'est pas surestimée : leur capacité à capter et retenir notre attention. Car ce n'est pas très compliqué, et immédiatement rentable.

Accepter la doxa d'une toute-puissance actuelle des plates-formes, leur reconnaître une capacité à écrire un futur transhumaniste condamne à l'immobilité, et masque le combat à mener. Cette conception fait leur jeu. Elle nous prive d'espace : les États sont condamnés à l'impuissance par des organisations transnationales sans territoires, et les individus à l'addiction de l'auto-asservissement. Elle nous prive de temps : le futur est écrit, tout est déjà joué. Faire des géants numériques les monstres d'une génération nouvelle revient à leur conférer un pouvoir normatif sur les économies, les sociétés et les vies.

Mais « l'état de nature » de ces empires numériques n'a pas à devenir notre état de culture. Nous vivons un moment de fondation, celui d'un ordre nouveau dont l'absence de règles trahit la jeunesse. Une époque qui peut rappeler les débuts du capitalisme industriel à la fin du XIXe siècle et laisse donc ouverte la possibilité de réformes, d'amendements, d'adaptations et de contrôle du modèle.

Il n'est pas écrit que l'économie de l'attention sans freins et sans limites doive rester le seul modèle de développement des plates-formes. Ces sociétés sont encore jeunes, elles grandissent et s'adaptent sans être confrontées à des limites. Les faire changer est possible, tout comme il est possible de poser des limites au modèle publicitaire lié aux données. Sans pour autant remettre en question leur existence, et leur développement.

Il n'est pas non plus écrit que le modèle économique des plates-formes doive dessiner l'ensemble de la société numérique en construction. Le poids économique déraisonnable atteint par les nouveaux oligopoles de l'attention, leur capacité à siphonner des milliards de données en redirigeant leur intelligence autour de notre addiction au temps passé en ligne laissent croire que le traçage individuel est intrinsèquement constitutif de la civilisation digitale. Paradoxalement, cette domination apparente rejette au second plan les accumulations de données qui se déploient par exemple dans le domaine de la santé et de la sécurité, et ne permet pas d'amorcer les discussions internationales sur le statut de ces réserves infinies de données.

Lutter contre la domination de l'économie de l'attention qui nous plonge dans l'addiction n'est pas un refus de la société numérique. C'est au contraire la réinstaller dans un projet porteur d'utopies, et réinstaurer une perspective de long terme sur le cauchemar de court terme. Rappeler les incroyables potentialités émancipatrices d'un numérique qui permet un accès universel à l'information, au savoir et à l'expression publique, le développement de l'économie du partage, le dépassement des frontières spatiales et temporelles, les avancées en termes de santé, la possibilité d'une construction d'une nouvelle forme de démocratie fondée sur la mobilisation et la collaboration délibérative.

Échanger, sans regret, la fiction transhumaniste pour un nouvel humanisme numérique.

Tout ceci reste possible. Et il n'est pas question, en ce qui me concerne, d'abandonner. Mettre un terme à la domination d'une économie de l'attention débridée ne constitue pas, en soi, la refondation de l'espérance numérique et la construction du nouveau modèle. Mais c'est une étape nécessaire et indispensable. La fin de la servitude avant la construction de l'émancipation.

Et notre libération passe par deux commandements complémentaires : guérir et combattre. Chacun apportera sa réponse, personnelle. Mais l'action sera collective, et ces thèmes devront prendre une juste place dans l'espace public. Combattre est un projet politique. Guérir est un projet de société. Le numérique a promu la culture des listes comme une de ses expressions narratives. S'y conformer, pour conclure, semble logique. Chacun pourra avoir la sienne, pour sortir de la civilisation du poisson rouge. Celle présentée ici propose quatre combats et quatre ordonnances. Elle est par nature simple, et ne constitue qu'une évocation de pistes possibles.

La liste des quatre combats

Combattre les idées fausses, pour ne pas livrer les mauvaises batailles. Les géants de l'Internet nourrissent la première d'entre elles, née de la conjugaison de l'idéologie libertaire des débuts avec les intérêts économiques du présent. Elle postule l'autorégulation comme « main invisible » de correction des dysfonctionnements sociaux et économiques nés des développements numériques. Sa version pragmatique parle d'« autodiscipline ». Croire qu'une société cotée puisse « internaliser » le bien social dans ses choix stratégiques, et accepter, sans y être forcée, de freiner le développement de ses recettes pour améliorer le bien-être commun est un pari déraisonnable. À l'inverse, l'histoire récente montre qu'une menace coordonnée de régulation à l'encontre des géants du Net peut être aussi efficace qu'un texte imposé.

La négociation est possible, au niveau national, européen, et même mondial. Jusqu'ici, les discussions se sont concentrées sur la redistribution des revenus. Par l'impôt, bien sûr, mais aussi par le paiement direct dans le cadre du respect du droit d'auteur. La régulation pourrait également concerner la redistribution du temps. Et son caractère négocié est moins utopique qu'il n'y paraît. En premier lieu parce que les exemples similaires existent « dans la vie réelle » : les casinos restreignent leur accès à certains utilisateurs trop fragiles, exigent un âge minimal. En second lieu, parce qu'il y a un intérêt à long terme à aider ses structures encore récentes à ne pas détruire, à moyen et long terme, le lien qu'elles développent avec leurs utilisateurs. Leur dépendance, les dépressions possibles, la fatigue sont des symptômes qui, à mesure qu'ils sont connus et partagés, remettent en cause le fondement même des plates-formes sociales. Limiter la captation de l'attention par le *brain hacking* de leurs algorithmes et de leur graphisme revient à échanger une baisse de leur rentabilité immédiate contre un accroissement de leur pérennité.

Imposer une négociation sur des normes d'application des algorithmes de captation de l'attention, en concentrant l'intervention collective sur ce qui est consubstantiel aux plates-formes, et en évitant un trop grand encadrement afin de préserver la liberté sur les réseaux.

Trois domaines sont à privilégier.

En premier lieu, les algorithmes paramétrés pour maximiser l'efficacité économique des messages, et qui confèrent une prime de visibilité pour les contenus qui provoquent de la colère et de l'émotion. La transparence quant aux ressorts de leur fonctionnement n'est qu'une première étape, et il doit être envisageable d'en diminuer la portée et le champ d'application.

Ensuite, le graphisme des interfaces dont le *dark design* peut développer des comportements addictifs, alors même que les interactions vont changer de nature d'ici 2025 avec l'émergence d'outils moins visibles que les smartphones. Imposer un caractère « sain » ou éthique dans la construction des interactions peut s'apparenter à une mesure de santé publique.

Enfin, le champ d'application, au sein même de ces plates-formes, de la logique publicitaire de l'attention, qui pour l'instant touche l'ensemble des pages et des services. Les médias classiques se sont développés en séparant de façon stricte ce qui relève de la publicité de ce qui relève de l'information ou même d'autres propositions éditoriales. Et, parallèlement, l'ensemble des pays ont édicté des règles pour canaliser les messages publicitaires (y compris aux États-Unis, dès 1920, pour la publicité radiophonique, sous la pression d'associations de consommateurs).

Réfléchir au cadre juridique des plates-formes en sortant du modèle américain de l'irresponsabilité éditoriale des hébergeurs. Définir une responsabilité adéquate est un chemin long, tortueux et difficile, l'appliquer sur l'ensemble des services et des contenus proposés est sans doute impossible, mais la perspective est posée. Les discussions, désordonnées et chaotiques, ont commencé.

Lorsque l'on parle d'information, l'exercice de la responsabilité juridique impose une fiabilité qui ne peut se faire sans y affecter des ressources financières. Il y a dans ce domaine un nouveau cadre de négociations possible avec les médias d'information et leur rédaction.

Développer des offres numériques qui ne répondent pas à l'économie de l'attention. Ces initiatives ne sauraient se limiter aux projets, essentiels, de contre-Internet énoncés par Tim Berners-Lee. Des idées ambitieuses de réseaux sociaux « publics » sont défendues jusque dans certaines universités américaines (au Center for Civic Media du Media Lab du MIT, par exemple), et évoquent les initiatives européennes du début du XXe siècle en matière de médias audiovisuels : ainsi la BBC fut-elle créée pour échapper à la domination des intérêts privés et du marché publicitaire. Mais d'autres actions, plus immédiates, moins grandioses, et sans doute tout aussi utiles, sont possibles en encourageant la production d'algorithmes de découverte et d'émancipation. Une intelligence artificielle « écologique » est un autre chemin vers le contre-Internet. Ainsi qu'un projet industriel et technologique ambitieux et réaliste pour l'Europe, moins illusoire que le « Google européen » ou le « Facebook européen ».

Les médias publics ont d'ailleurs, en ce domaine, un rôle essentiel à jouer. N'étant pas financés par les retombées publicitaires, fidèles à leur mission d'universalité, ils peuvent et doivent investir les plates-formes en y apportant un message différent, vérifié, et qui permette une « pause » dans les logiques d'attention pure. Constituer une contre-offre dans l'offre générale et un contre-pouvoir interne au pouvoir des réseaux. Par ailleurs, leurs offres alternatives sont une occasion de construire des outils technologiques avec un principe de fonctionnement qui prenne le contre-pied des logiques de l'économie de l'attention. Algorithmes proposant d'ouvrir à d'autres opinions, d'autres champs culturels, d'autres types d'histoires, outils de contrôle du temps passé sur les offres jeunesse, et les offres adultes, alertes en cas de surconsommation… Développer des interfaces qui reposent plus qu'elles ne sollicitent, limiter les alertes à un strict minimum, proposer des programmes qui ont demandé un lourd investissement en temps passé (documentaires, œuvres de création), baisser le son et empêcher les effets stroboscopiques, les actions à mener sont nombreuses.

La liste des quatre ordonnances

Une nouvelle sagesse, un nouvel apprentissage de la liberté se profile. La fracture numérique existe encore, bien sûr. L'inégalité qui vient est tout autre, cependant : il s'agira d'avoir non plus accès à la connexion, mais à la déconnexion. Accès non pas à la musique, mais au silence, non à la conversation, mais à la méditation, non à l'information immédiate, mais à la réflexion déployée. Les séminaires de désintoxication technologique se multiplient. Les retraites spirituelles dans les monastères ont changé de nature : il fallait échapper au monde pour trouver Dieu, il faut désormais échapper aux stimuli électroniques pour, simplement, se retrouver. Être coupé des réseaux pour, enfin, être à nouveau au monde. Mais l'enjeu n'est pas de disparaître, ni de refuser les extraordinaires potentialités de la société numérique. Il nous faut simplement comprendre que la liberté s'exerce dans la maîtrise. Et que cette maîtrise nécessite moins une ascèse qu'une simple modération. Des règles personnelles simples à édicter et difficiles à mettre en application, et des fonctionnalités difficiles à imposer et faciles à utiliser.

Sanctuariser. Paul Valéry annonçait un futur où, pour être libre, il faudrait construire des cloîtres isolés où les ondes n'entreraient pas, pour y mépriser les effets de masse, de nouveauté et de crédulité. La prophétie de l'écrivain est devenue une nécessité de civilisation. L'établissement de zones hors connexion à l'image des zones non-fumeurs relève de la santé publique. Les écoles, lieux de savoir, de prière, de débats, de réunions : recevoir, célébrer, transmettre, pour reprendre la célèbre trilogie d'Emmanuel Levinas, se fait en coupant la dépendance numérique. Ce que les entrepreneurs de la Silicon Valley, qui placent leurs enfants dans des établissements *tech free* (sans technologie), ont parfaitement compris.

J'imagine sans difficulté un grand nombre de lieux hors connexion, où un simple panneau indiquera qu'il n'est pas possible de laisser les sollicitations interrompre ce que nous vivons ensemble. Une simple règle de politesse, un apprentissage en famille pour déposer l'outil avant les repas et moments partagés. Après tout, l'écran du portable est l'écran de l'intime : il n'est pas anormal de ne pas l'imposer à ceux qui nous entourent. La limitation du portable à l'école devient une réalité. L'Université de Stanford, qui a fait naître le numérique, les plates-formes et la société connectée, impose désormais l'absence de portables en cours, et de plus en plus, l'absence d'ordinateurs.

L'enjeu est de faire en sorte que cela devienne technologiquement aisé à faire, car intégré au fonctionnement des réseaux eux-mêmes. Même quand cela va à l'encontre de leur intérêt économique immédiat : Facebook a dû reconnaître, en 2018, que l'application continuait à « siphonner » des données de ses utilisateurs, quand bien même ceux-ci étaient déconnectés. Mais dans ce domaine encore, le poids des utilisateurs peut être déterminant.

Préserver. Ce qui est vrai pour l'espace l'est également pour le temps. Que l'on parle de pause ou, à l'instar des Anglo-Saxons, de la possibilité de « *take a break* », la reconquête de nos existences passe par notre capacité à définir des moments sans connexion, et surtout sans interaction sociale numérique. Les nuits, bien sûr, les moments d'intimité personnelle, familiale ou amicale, sans doute.

J'ai le souvenir d'un séminaire professionnel où il avait été demandé à chaque participant de déposer son portable dans un panier préalablement à la réunion. Scène banale, que vivent des milliers de gens chaque jour, mais épisode « difficile » : chacun, moi le premier, avait essayé de trouver une bonne raison de se soustraire à l'exercice. Installer ce genre de panier, de pochettes qui laissent seulement passer les appels téléphoniques en empêchant la connexion devra pourtant, à l'avenir, se banaliser. Est-ce rêver que d'imaginer des fonctionnalités simples, rajoutées à nos portables, qui en plus du mode « avion » proposeraient des modes « détox » permettant de ne plus être sollicité par des alertes pendant un moment ?

Imaginer des moments de vacances, définis comme plusieurs jours sans connexion sociale, ne relève pas de la naïveté. Affirmer que les enfants et adolescents ont aussi besoin de ce genre de pauses, et sans doute beaucoup plus que les autres, ne relève pas de la chimère.

Il faudra bien que les réseaux sociaux se résolvent à intégrer à leur interface la capacité de les « quitter » pendant quelques jours ou quelques semaines. Ces pauses et vacances, deux jours par semaine, par exemple, et deux mois par an, pourraient être encouragées par l'interface elle-même : « Bonjour, il nous semble que vous avez été très présent sur Facebook ces derniers jours. Et si nous cessions d'interagir pendant quelques jours ? Êtes-vous d'accord ? Laissez-moi prévenir vos amis. » Un contraste saisissant avec ce qui se passe aujourd'hui quand l'utilisateur baisse, ne serait-ce qu'un peu, son niveau d'utilisation sur les plates-formes. Il est alors bombardé de messages comminatoires (Que se passe-t-il ?), de rappels à l'ordre inquiets (Savez-vous tout ce que vous êtes en train de rater chez vos amis ?), de menaces d'effacement technique (Vous risquez de perdre vos préférences), alors même que les données individuelles continuent d'être stockées, utilisées, et actualisées.

Expliquer. Les réseaux sociaux, qui sont entrés à l'école, pourraient en sortir pour être remplacés par l'apprentissage de leur bonne utilisation et de la façon de se préserver de leurs effets néfastes, des mécanismes d'addiction, des moyens de lutter contre et des logiques de viralité. Exposer le continuum entre ce qui se passe en ligne et ce qui se passe dans ce que l'on appelle « la vie réelle » permet de faire comprendre que ce qui semble virtuel (plaisanterie, harcèlement, etc.) ne le reste pas longtemps.

Ralentir. La reconquête du temps, de moments de silence sans interruptions et stimuli électroniques de l'espace permet d'amorcer un cercle vertueux. Les initiatives telles que SOL (Si On Lisait), qui promeuvent une demi-heure quotidienne de lecture obligatoire à l'école, ont vocation à sortir de leur nature d'expérimentation pour devenir des outils collectifs. Notre modèle de société est structurellement tourné vers l'accélération, et toute mesure de ralentissement, dans quelque domaine que ce soit, l'information, les médias, les conversations, en réseau ou non, la consommation même, est une mesure de résistance. C'est aussi une mesure de libération.

Munich, 2019

L'auditoire n'a attendu qu'elle.

Sur l'estrade, la femme n'a pas l'air si confiante. Pourtant, tout en elle traduit la maîtrise professionnelle hors du commun d'une des chefs d'entreprise les plus puissantes du monde. Derrière elle, un écran. Sur cet écran, immense, un fond orange uni, couleur poisson rouge. Pour tout texte, une question, en anglais : « Quel type d'Internet voulons-nous ? », et deux noms, le sien et celui de son entreprise : Sheryl Sandberg, Facebook.

Nous sommes en janvier 2019, et la directrice générale de la société la plus critiquée du monde est venue en Europe faire des annonces qui, selon la terminologie appropriée, « vont dans le bon sens ». Elle ressent la suspicion présente chez des spectateurs qui, il y a quelques mois encore, auraient signé aveuglément un contrat de travail dans son entreprise. Juste avant elle, une conférencière a parlé de la confiance avec une formule assez maligne : si l'argent est la devise des transactions, la confiance est celle des interactions. Et quand cette dernière est rompue, les interactions finissent toujours par disparaître. Tous ont pensé, à ce moment, à Facebook et à Sheryl Sandberg. Alors, quand cette dernière monte sur scène, elle reconnaît l'année difficile, les erreurs, « une période de réflexion et d'apprentissage », avec l'aide, qui l'eût cru, des gouvernements. Le géant de Palo Alto semble mettre genou à terre et annonce un festival de mesures : des milliards de dollars investis dans la sécurité des données ; actions communes avec les gouvernements français et allemand pour contrer la désinformation venue de l'étranger ; fermeture des faux comptes ; accès donné à chaque individu à ses propres données ; exercice de transparence concernant les annonceurs publicitaires. Des actions qui pourront rassurer les gouvernements quant au déroulement futur des périodes électorales.

Le modèle économique, quant à lui, est évacué en trois phrases et deux réponses dilatoires. Facebook réaffirme son « investissement majeur dans la protection des données personnelles », et dans sa volonté de ne plus les partager aussi aisément, mais également son souhait de pouvoir continuer à proposer des publicités ciblées afin de « développer le business et permettre aux petites entreprises d'avoir accès à la connaissance du public », et de « proposer aux utilisateurs des annonces qui puissent les intéresser ». Facebook est donc prêt au changement, mais pas en ce qui concerne son modèle économique.

Ce que Sandberg résume en une formule : « Nos outils ont été détournés par un petit nombre pour tromper le plus grand nombre. » Une idée, somme toute, très américaine dans sa culture : le mal est chez les autres, qui pervertissent notre modèle, et pas chez nous. Toutes les actions entreprises visent à refaire de Facebook un sanctuaire en empêchant les *bad actors*, les mauvais acteurs, d'y pénétrer. Si tant est que cela soit possible, et même si de telles actions sont nécessaires, elles ne seront pas suffisantes.

C'est l'idée défendue dans ce livre : l'addiction qui se développe, les effets de bulles informationnelles, de déséquilibre, de dissémination de fausses nouvelles et de contre-réalités sont *aussi* et sans doute *surtout* une production intrinsèque du modèle économique des plates-formes. Et ce modèle est amendable. Mais il faut s'y mettre. De toute urgence.

Il y a une voie possible entre la jungle absolue d'un Internet libertaire et l'univers carcéral de réseaux surveillés. Cette voie possible, c'est la vie en société. Mais nous ne pouvons laisser à ces plates-formes le soin de l'organiser seules, si nous souhaitons qu'elle ne soit pas peuplée d'humains au regard hypnotique qui, enchaînés à leurs écrans, ne savent plus regarder vers le haut.

Addendum

Selon l'Association française du poisson rouge (elle existe), le poisson rouge est fait pour vivre « en bande », entre vingt et trente ans, et peut atteindre 20 centimètres. Le bocal a atrophié l'espèce, en a accéléré la mortalité et détruit la sociabilité.

Partagez vos expériences sur
www.sortirdubocal.fr

Références bibliographiques

Livres

Albert-Laszlo Barabasi, *Linked, How Everything Is Connected to Everything Else and What It Means for Business, Science, and Everyday Life*, Basic Books, New York, 2014.

John Perry Barlow with Robert Greenfield, *Mother American Night, My Life in Crazy Times*, Crown Archetype, New York, 2018.

Yochai Benkler, Robert Faris & Hal Roberts, *Network Propaganda, Manipulation, Disinformation, and Radicalization in American Politics*, Oxford University Press, Oxford, 2018.

Daniel J. Boorstin, *The Image, A Guide to Pseudo-Events in America*, Vintage Books, New York, 1992.

A. Brad Schwartz, *Broadcast Hysteria, Orson Welles's War of the Worlds and the Art of Fake News*, Hill and Wang, New York, 2016.

Franklin Foer, *World Without Mind, The Existential Threat of Big Tech*, Penguin Press, New York, 2017.

Brooke Gladstone, co-animatrice de WNYC's On the Media, *The Trouble with Reality, A*

Rumination on Moral Panic in Our Time, Workman Publishing Company, 2017.

Michiko Kakutani, *The Death of Truth, Notes on Falsehood in the Age of Trump*, Tim Duggan Books, New York, 2018.

Kevin Kelly, *The Inevitable, Understanding the 12 Technological Forces that will Shape our Future*, Viking, New York, 2016.

Ian Leslie, *Curious, The Desire to Know and Why your Future Depends on It*, Basic Books, New York, 2015.

Max McCombs, R. Lance Holbert, Spiro Kiousis, Wayne Wanta, *The News and Public Opinion, Media Effects on Civic Life*, Polity Press, Cambridge UK, 2011.

Eli Pariser, *The Filter Bubble, What the Internet Is Hiding from You*, Viking, Londres, 2011.

Neil Postman, *Amusing Ourselves to Death, Public Discourse in the Age of Show Business*, Penguin Books, New York, 2005.

Hartmut Rosa, *Accélération, Une critique sociale du temps*, La Découverte, Paris, 2010.

Howard Rosenberg & Charles S. Feldman, *No Time to Think, The Menace of Media Speed and the 24-hour News Cycle*, Continuum, New York, 2009.

Éric Sadin, *L'Intelligence artificielle ou l'enjeu du siècle*, L'Échappée, Paris, 2018.

Timothy Snyder, *The Road to Unfreedom*, Tim Duggan Books, New York, 2018.

Paul Starr, *The Creation of the Media, Political Origins of Modern Communications*, Basic Books, New York, 2004.

Bernard Stiegler, *Dans la disruption, comment ne pas devenir fou ?*, Les Liens qui Libèrent, Paris, 2016.

Venkat Venkatraman, *The Digital Matrix, New Rules for Business Transformation Through Technology*, LifeTree Media Book, 2017.

Tim Wu, *The Attention Merchants, The Epic Scramble to Get Inside Our Heads*, Alfred A. Knopf, New York, 2016.

Articles

« Do teens use Facebook ? It depends on their family's income », Hanna Kozlowska, août 2018, https://qz.com/1355827/do-teens-use-facebook-it-depends-on-their-familys-income/

« Wtf is wrong with this dude ? What is he looking at ? The world ? » @cap0w, février 2014, pic.twitter.com/lTpCF5Y5QW

« The Tech Industry's War on Kids », Richard Freed, mars 2018, https://medium.com/@richardnfreed/the-tech-industrys-psychological-war-on-kids-c452870464ce

« Exclusive : Tim Berners-Lee tells us his radical new plan to upend the World Wide Web », septembre 2018, https://www.fastcompany.com/90243936/exclusive-tim-berners-lee-tells-us-his-radical-new-plan-to-upend-the-world-wide-web

« “I was devasted” : Tim Berners-Lee, The man who created the World Wide Web, has some regrets », Katrina Brooker, juillet 2018, Vanity Fair

« A Wise Man Leaves Facebook », Kara Swisher, 27 septembre 2018, The New York Times

« Pour une technologie “plus humaine”, les repentis de la Silicon Valley s’organisent », Phane Montet, février 2018, https://usbeketrica.com/article/les-repentis-de-la-silicon-valley-s-organisent

« Intelligence artificielle : “De plus en plus de spectres vont administrer nos vies” », Éric Sadin, octobre 2018, https://www.liberation.fr/futurs/2018/10/22/intelligence-artificielle-de-plus-en-plus-de-spectres-vont-administrer-nos-vies_1687106

« Le président en son labyrinthe algorithmique », Christian Salmon, mai 2018, https://www.mediapart.fr/journal/france/060518/le-president-en-son-labyrinthe-algorithmique?onglet=full

« Decoding the Social Media Algorithms in 2019. The ultimate guide », Ste Davies, https://www.stedavies.com/social-media-algorithms-guide/

« Inside the Binge Factory », Josef Adalian, juin 2018, https://www.vulture.com/2018/06/how-netflix-swallowed-tv-industry.html

« The Attention Merchants review – how the Web is being debased for profit », Ben Tarnoff, décembre 2016, https://www.theguardian.com/books/2016/dec/26/the-attention-merchants-tim-wu-review

« L’attention, le nouveau graal du marketeur », Pierre-Antoine Allain, février 2016, Harvard Business Review

« When do TV Shows Peak ? », Ben Lindbergh & Rob Arthur, juillet 2018, https://www.theringer.com/tv/2018/7/31/17628494/when-do-tv-shows-peak
« The death of Don Draper », Ian Leslie, juillet 2018, https://www.newstatesman.com/science-tech/internet/2018/07/death-don-draper
« Facebook creates Orwellian headache as news is labelled politics », Emily Bell, juin 2018, https://www.theguardian.com/media/media-blog/2018/jun/24/facebook-journalism-publishers
« Facebook CEO Mark Zuckerberg on Recode Decode », Kara Swisher, juillet 2018, https://www.recode.net/2018/7/18/17575158/mark-zuckerberg-facebook-interview-full-transcript-kara-swisher
« Targeted Advertising is Ruining the Internet and Breaking the World », Dr. Nathalie Maréchal, novembre 2018, https://motherboard.vice.com/en_us/article/xwjden/targeted-advertising-is-ruining-the-internet-and-breaking-the-world
« This is How Amazon Loses », John Battelle, octobre 2018, https://shift.newco.co/2018/10/10/this-is-how-amazon-loses/
« How social media took us from Tahrir Square to Donald Trump », Zeynep Tufekci, août 2018, https://www.technologyreview.com/s/611806/how-social-media-took-us-from-tahrir-square-to-donald-trump/
« Attention is not a resource but a way of being alive to the world », Dan Nixon, décembre 2018,

https://aeon.co/ideas/attention-is-not-a-resource-but-a-way-of-being-alive-to-the-world
« Pour le moment, l'intelligence artificielle produit surtout de la bêtise artificielle », Bernard Stiegler, propos recueillis par Marine Jeannin, février 2018, https://www.nouveau-magazine-litteraire.com/idees/intelligence-artificielle-bernard-stiegler-humain-nouvelles-technologies
« The Fake-News Fallacy », Adrian Chen, août 2017, https://www.newyorker.com/magazine/2017/09/04/the-fake-news-fallacy
« How Much of the Internet is Fake ? Turns Out, a Lot of It, Actually », Max Read, décembre 2018, http://nymag.com/intelligencer/2018/12/how-much-of-the-internet-is-fake.html
« Derrière le “Q” brandi par les supporters de Trump, une théorie complotiste », Grégor Brandy, août 2018, http://www.slate.fr/story/165548/qanon-theorie-complotisme-4chan-trump
« The universe of people trying to deceive journalists keeps expanding, and newsrooms aren't ready », Heather Bryant, juillet 2018, http://www.niemanlab.org/2018/07/the-universe-of-people-trying-to-deceive-journalists-keeps-expanding-and-newsrooms-arent-ready
« 54 newsrooms, 9 countries, and 9 core ideas : Here's what two researchers found in a yearlong quest for journalism innovation », Per Westergaard & Soren Schultz Jorgensen, juillet 2018, http://www.niemanlab.org/2018/07/54-newsrooms-9-countries-and-9-core-ideas-heres-what-two-researchers-

found-in-a-yearlong-quest-for-journalism-innovation/
« News you don't believe » : Audience perspectives on Fake News, Rasmus Kleis Nielsen & Lucas Graves, octobre 2017, https://reutersinstitute.politics.ox.ac.uk/our-research/news-you-dont-believe-audience-perspectives-fake-news
« A guide to anti-misinformation actions around the world », Daniel Funke, janvier 2019, https://www.poynter.org/ifcn/anti-misinformation-actions/
« Four problems for news and democracy », Ethan Zuckerman, avril 2018, https://medium.com/trust-media-and-democracy/we-know-the-news-is-in-crisis-5d1c4fbf7691
« Don't blame the election on fake news. Blame it on the media », Duncan J. Watts & David M. Rothschild, décembre 2017, https://www.cjr.org/analysis/fake-news-media-election-trump.php
« News is bad for you – and giving up reading it will make you happier », Rolf Dobelli, avril 2013, https://www.theguardian.com/media/2013/apr/12/news-is-bad-rolf-dobelli
« When algorithms go wrong we need more power to fight back, say AI researchers », James Vincent, décembre 2018, https://www.theverge.com/2018/12/8/18131745/ai-now-algorithmic-accountability-2018-report-facebook-microsoft-google
« How the Enlightenment Ends », Henry A. Kissinger, juin 2018, https://www.theatlantic.

com/magazine/archive/2018/06/henry-kissinger-ai-could-mean-the-end-of-human-history/559124/
« This is how we radicalized the world », Ryan Broderick, octobre 2018, https://www.buzzfeednews.com/article/ryanhatesthis/brazil-jair-bolsonaro-facebook-elections
« Examining Henry Kissinger's Uninformed Comments on AI », Julia Gong, septembre 2018, https://www.skynettoday.com/briefs/kissinger-ai

Documentaires

« *Dopamine* », documentaire de Léo Favier, Arte
« *Génération écran : Génération malade ?* », documentaire d'Elena Sender et Raphaël Hitier, Arte

Chiffres clés

Les chiffres clés proviennent en partie des études suivantes :

Monthly active users of select social platforms, juin 2018, https://www.businessinsider.fr/us/instagram-valuation-facebook-industry-dominance-charts-2018-6
Smartphone Addiction Tightens Its Global Grip, mai 2017, https://www.statista.com/chart/9539/smartphone-addiction-tightens-its-global-grip/
« 14 Things You'll Want to Know About the future of Media », novembre 2017, https://www.businessinsider.fr/us/henry-blodget-14-things-youll-want-

to-know-about-the-future-of-media-ignition-2017-2017-11
« *What happens in an Internet Minute ?* », *mai 2018, https://www.visualcapitalist.com/internet-minute-2018/*

REMERCIEMENTS

Cet ouvrage traite de la transformation progressive du projet numérique telle que j'ai pu l'observer depuis 1999. Il n'existerait pas sans avoir été inspiré par vingt années de travail, de rencontres, de conversations, avec ceux qui agissent dans cet univers : médias numériques, rédactions, réseaux sociaux, plates-formes, centres de recherche, think tanks, universités, instances de régulation. Ils sont si nombreux qu'il m'est impossible de les nommer ici. Qu'ils reçoivent tous, sans exception, ma gratitude.

Mes proches subissent mon addiction numérique, ils trouveront peut-être dans les pages précédentes un début d'explication. Ils sont la plupart du temps plus sages que moi, à l'image de ma fille aînée qui, la première, m'a alerté sur les dangers de Facebook il y a plusieurs années et de ma fille cadette qui arrive très bien à vivre plusieurs jours sans son smartphone. Merci, donc, à tous mes proches pour leur patience et leur affection.

L'idée de ce livre est née d'une conférence donnée à Buenos Aires pour la « Nuit de la philosophie », à l'invitation de Yann Lorvo. Belkacem Bahlouli m'a autorisé à utiliser quelques passages de chroniques écrites pour le magazine *Rolling Stone*. L'étude menée à bien à la demande de Laurent Bigorgne de l'Institut Montaigne en collaboration avec Dominique Cardon du Médialab de Sciences Po et Ethan Zuckerman du Center for Civic Media du Media Lab du MIT a nourri le chapitre sur l'information. À tous, merci.

Je crois toujours en un univers numérique de qualité, de partage d'information, de savoir et de culture, y compris sur les grandes plates-formes sociales. J'ai la chance d'y travailler avec mes collègues d'Arte et de l'école de journalisme de Sciences Po, auprès de Véronique Cayla et Frédéric Mion. L'aide de Martina Cubiles a, comme d'habitude, été précieuse, tout comme l'ont été les lectures attentives de Boris Razon et Yann Chapellon.

Merci, enfin et surtout, à Christophe Bataille, éditeur et ami, Olivier Nora et toutes les équipes de Grasset qui m'honorent de leur confiance.

Table

DU MÊME AUTEUR :

Pinochet s'en va, IHEAL, 2000.

Le Devenir numérique de l'édition. Du livre objet au livre droit, La Documentation française, 2008.

*Télé*visions, Grasset, 2016.

Avec Jean-François Fogel

Une presse sans Gutenberg, Grasset, 2005.

La Condition numérique, Grasset, 2013.

Composition réalisée par PCA

Achevé d'imprimer en France par
CPI BRODARD & TAUPIN (72200 La Flèche)
en mars 2022
N° d'impression : 3047289
Dépôt légal 1re publication : avril 2020
Édition 08 - avril 2022
LIBRAIRIE GÉNÉRALE FRANÇAISE
21, rue du Montparnasse – 75298 Paris Cedex 06

13/3797/3